D1358892

Hélène Berr

pour Bill,

«JOURNAL 1942-1944

dans mon

ÉDITION ABRÉGÉE

avec mes

Choix et dossier par Norbert Czarny,
professeur de Lettres modernes

Préface de Patrick Modiano

et mon amitié

Norbert

18.11.16

Tallandier/Points

Conseiller éditorial 1ʳᵉ édition : Antoine Sabbagh

Note de l'éditeur : cette édition est constituée d'une version abrégée
de l'ouvrage *Journal* d'Hélène Berr, incluant les documents
« La Lettre à Denise », « la reproduction de pages manuscrites du journal »
et « La famille d'Hélène Berr », paru aux éditions Tallandier en 2008.

Documents annexes :
© original du texte repris en annexes « Le Calvaire des enfants »
de Georges Wellers, extrait de *Un Juif sous Vichy* : éditions Tirésias,
Michel Reynaud, 1991
© original de l'extrait de l'ouvrage *Les Disparus,* de Daniel Mendelsohn,
Flammarion, 2007
© original des documents en annexes « Lettres au directeur de la police »,
extraits de *La Shoah en France, volume 2-1 : Le Calendrier et les déportations,*
de Serge Klarsfeld, éditions Fayard, 2001
Les extraits de textes de jeunesse d'Hélène Berr sont reproduits
avec l'aimable autorisation de Mariette Job.
Crédits photographiques : © Mémorial de la Shoah/CDJC,
pour les photos des pages 196 à 198

ISBN 978-2-7578-1375-1
(ISBN 978-2-84734-500-1, 1ʳᵉ publication du *Journal*)

© Éditions Tallandier et Points, mai 2009, pour la présente édition

Sommaire

Sommaire

Préface

par Patrick Modiano

Une jeune fille marche dans le Paris de 1942. Et comme elle éprouvait dès le printemps de cette année-là une inquiétude et un pressentiment, elle a commencé d'écrire un journal en avril. Plus d'un demi-siècle s'est écoulé depuis, mais nous sommes, à chaque page, avec elle, au présent. Elle qui se sentait parfois si seule dans le Paris de l'Occupation, nous l'accompagnons jour après jour. Sa voix est si proche, dans le silence de ce Paris-là…

Le premier jour, mardi 7 avril 1942, l'après-midi, elle va chercher au 40 de la rue de Villejust, chez la concierge de Paul Valéry, un livre qu'elle a eu l'audace de demander au vieux poète de lui dédicacer. Elle sonne et un fox-terrier se jette sur elle en aboyant. – Est-ce que M. Valéry n'a pas laissé un petit paquet pour moi ? Sur la page de garde, Valéry a écrit : « Exemplaire de mademoiselle Hélène Berr », et au-dessous : « Au réveil, si douce la lumière, et si beau ce bleu vivant. »

Pendant tout ce mois d'avril et ce mois de mai, il semble, à la lecture du journal d'Hélène Berr, que Paris, autour d'elle, soit en harmonie avec la phrase de Valéry. Hélène fréquente la Sorbonne où elle prépare un diplôme d'anglais. Elle accompagne un « garçon aux yeux gris » dont elle vient de faire la connaissance à la Maison des lettres, rue Soufflot, où ils écoutent une cantate de Bach, un concerto pour clarinette et orchestre de Mozart…

Elle marche avec ce garçon et d'autres camarades à travers le Quartier latin. « Le boulevard Saint-Michel inondé de soleil, plein de monde », écrit-elle. « À partir de la rue Soufflot, jusqu'au boulevard Saint-Germain, je suis en territoire enchanté. » Parfois elle passe une journée aux environs de Paris dans une maison de campagne à Aubergenville. « Cette journée s'est déroulée dans sa perfection, depuis le lever du soleil plein de fraîcheur et de promesse, lumineux, jusqu'à cette soirée si douce et si calme, si tendre, qui m'a baignée tout à l'heure lorsque j'ai fermé les volets. » On sent, chez cette fille de 20 ans, le goût du bonheur, l'envie de se laisser glisser sur la douce surface des choses, un tempérament à la fois artiste et d'une très grande lucidité. Elle est imprégnée par la poésie et la littérature anglaises et elle serait sans doute devenue un écrivain de la délicatesse de Katherine Mansfield. On oublierait presque, à la lecture des cinquante premières pages de son journal, l'époque atroce où elle se trouve. Et pourtant, un jeudi de ce mois d'avril, après un cours à la Sorbonne, elle se promène dans le jardin du Luxembourg avec un camarade. Ils se sont arrêtés au bord du bassin. Elle est fascinée par les reflets et le clapotis de l'eau sous le soleil, les voiliers d'enfants et le ciel bleu – celui qu'évoquait Paul Valéry dans sa dédicace. « Les Allemands vont gagner la guerre, lui dit son camarade. – Mais qu'est-ce que nous deviendrons si les Allemands gagnent ? – Bah ! rien ne changera. Il y aura toujours le soleil et l'eau… Je me suis forcée à dire : "Mais ils ne laissent pas tout le monde jouir de la lumière et de l'eau !" Heureusement, cette phrase me sauvait, je ne voulais pas être lâche. »

C'est la première fois qu'elle fait allusion aux temps sombres où elle vit, à l'angoisse qui est la sienne, mais de manière si naturelle et si pudique que l'on devine sa solitude au milieu de cette ville ensoleillée et indifférente. En cette fin du printemps 1942, elle marche toujours dans Paris, mais le contraste entre l'ombre et la lumière se fait plus brutal, l'ombre gagne peu à peu du terrain.

Le mois de juin 1942 est pour elle le début des épreuves. Ce lundi 8, elle doit, pour la première fois, porter l'étoile jaune. Elle sent l'incompatibilité entre son goût du bonheur et de l'harmonie et la noirceur et l'horrible dissonance du présent. Elle écrit : « Il fait un temps radieux, très frais... un matin comme celui de Paul Valéry. Le premier jour aussi où je vais porter l'étoile jaune. Ce sont les deux aspects de la vie actuelle : la fraîcheur, la beauté, la jeunesse de la vie, incarnée par cette matinée limpide ; la barbarie et le mal, représentés par cette étoile jaune. » Sèvres-Babylone – Quartier latin. Cour de la Sorbonne. Bibliothèque... Les mêmes trajets que d'habitude. Elle guette les réactions de ses camarades. « Je sentais leur peine et leur stupeur à tous. » À la station de métro École Militaire, le contrôleur lui ordonne : « Dernière voiture », celle où doivent obligatoirement monter les porteurs d'étoile jaune. Elle nous dit les sentiments qu'elle a éprouvés concernant cette étoile : « J'étais décidée à ne pas la porter. Je considérais cela comme une infamie et une preuve d'obéissance aux lois allemandes... Ce soir, tout a changé à nouveau : je trouve que c'est une lâcheté de ne pas le faire, vis-à-vis de ceux qui le feront. » Et le lendemain, dans sa solitude, elle imagine que quelqu'un lui pose la question : « Pourquoi portez-vous cette étoile ? » Elle répond : « C'est parce que je veux éprouver mon courage. »

Puis, à la date du 24 juin, sans élever le ton, elle rend compte de l'épreuve qu'elle vient d'affronter et qui sera déterminante pour elle. « Je voulais écrire ceci hier soir... Ce matin, je me force à le faire, parce que je veux me souvenir de tout. » Il s'agit de l'arrestation de son père, livré par la police française aux « questions juives » à la Gestapo, puis transféré à la préfecture de police avant d'être interné à Drancy. Motif : son étoile jaune n'était pas cousue à sa veste. Il s'était contenté de la fixer à l'aide d'agrafes et de pressions, afin de pouvoir la mettre plus facilement sur tous ses costumes. Il semble qu'à la préfecture de police, on ne fasse guère de différence entre les juifs « français » et les juifs « étrangers ». Raymond Berr, le père d'Hélène, ingénieur des mines, ancien directeur des établissements Kuhlmann, décoré de la croix de guerre et de la Légion d'honneur à titre militaire et faisant partie des huit personnes de sa « race » à bénéficier de l'article 8 de la loi du 3 octobre 1940 (« Par décret individuel pris en Conseil d'État et dûment motivé, les juifs qui, dans les domaines littéraire, scientifique, artistique, ont rendu des services exceptionnels à l'État français, pourront être relevés des interdictions prévues par la présente loi »), se trouve sur un banc de bois, surveillé par des policiers. Hélène et sa mère ont obtenu l'autorisation de le voir. On lui a enlevé sa cravate, ses bretelles et ses lacets. « L'agent nous expliquait pour nous rassurer que c'était un ordre car hier un détenu avait essayé de se pendre. »

Une cassure s'est alors produite dans l'esprit d'Hélène Berr entre la vie tranquille d'étudiante qu'elle menait jusque-là et la vision de son père surveillé comme un criminel dans une officine crasseuse de la préfecture de police. « Un abîme infranchissable », écrit-elle. Mais le ton du journal reste le même, sans aucun fléchissement, aucun pathos. Les phrases toujours aussi brèves nous révèlent de quelle trempe est cette jeune fille. L'internement de son père à Drancy lui fait prendre conscience de tout ce qui obscurcit et empoisonne le Paris de l'été 1942 et demeure pourtant invisible à ceux qui sont absorbés par leurs soucis quotidiens ou ceux qui ont choisi de fermer les yeux. Hélène, elle, les garde grands ouverts. Une jeune fille aussi artiste, aussi délicate aurait pu détourner son regard dans un réflexe de sauvegarde ou un geste d'épouvante ou même se réfugier en zone libre. Elle, au contraire, ne se dérobe pas et, d'un mouvement spontané, elle se sent solidaire de la souffrance et du malheur. Le 6 juillet 1942, elle se présente au siège de l'UGIF pour être recrutée comme assistante sociale bénévole aux services des internés du camp de Drancy et de ceux du Loiret. Chaque jour, elle sera en contact avec les familles démembrées par les arrestations et le témoin direct de toute l'horreur quotidienne, celle du « Vél d'Hiv », de Drancy et des départs à l'aube dans les trains de marchandises à la gare de Bobigny. L'un des responsables de l'UGIF lui a dit : « Vous n'avez rien à faire ici ! Si j'ai un conseil à vous donner, partez. » Mais elle reste. Elle a franchi la ligne dans un élan irréversible.

Son courage, sa droiture, la limpidité de son cœur m'évoquent le vers de Rimbaud :

Par délicatesse
J'ai perdu ma vie.

Elle a pressenti le caractère fatal de sa démarche. Elle écrit : « Nous vivons heure par heure, non plus semaine par semaine. » Elle écrit aussi : « J'avais un désir d'expiation, je ne sais pourquoi. » On pense à la philosophe Simone Weil et certaines pages du journal d'Hélène – ce journal qu'elle considère comme une lettre adressée à son ami Jean, le garçon aux « yeux gris » du Quartier latin, et dont elle ne sait même pas s'il la lira un jour – ce journal évoque parfois les lettres poignantes de Simone Weil à Antonio Atarès, à la même époque. Oui, Simone Weil aurait pu écrire cette phrase d'Hélène : « Les amitiés qui se sont nouées ici, cette année, seront empreintes d'une sincérité, d'une profondeur et d'une espèce de tendresse grave que personne ne pourra jamais connaître. C'est un pacte secret, scellé dans la lutte et les épreuves. » Mais à la différence de Simone Weil, Hélène Berr est sensible au bonheur, aux matinées radieuses, aux avenues ensoleillées de Paris où l'on marche avec celui qu'on aime, et la liste qu'elle dresse de ses livres de chevet ne comporte aucun philosophe, mais des poètes et des romanciers.

Son journal s'interrompt pendant neuf mois. Elle le reprend définitivement en novembre 1943. Sa belle écriture déliée, telle qu'elle apparaît dans le manuscrit, est devenue aiguë, saccadée. Rien de plus suggestif que ce bloc de silence de neuf mois qui nous fait comprendre l'extrême gravité de ce qu'elle a vu et ressenti. Elle note : « Toutes mes amies du bureau sont arrêtées. » Un leitmotiv revient sous sa plume : « Les autres ne savent pas… » « L'incompréhension des autres… » « Je ne peux pas parler, parce qu'on ne me croirait pas… » « Il y a trop de choses dont on ne peut pas parler… » Et cette brusque confidence : « Personne ne saura jamais l'expérience dévastatrice par laquelle j'ai passé cet été. »

Et aussi : « En ce moment, nous vivons l'histoire. Ceux qui la réduiront en paroles… pourront bien faire les fiers. Sauront-ils ce qu'une ligne de leur exposé recouvre de souffrances individuelles ? » Après ce long silence, sa voix est toujours aussi claire mais elle nous parle désormais de plus loin, de presque aussi loin qu'Etty Hillesum dans ses *Lettres de Westerbork*. Elle n'a pas encore franchi le dernier cercle de l'enfer. Dans cette ville où elle marche, elle est toujours émue par des signes amicaux et rassurants : la petite porte des Tuileries, les feuilles sur l'eau, toute la beauté lumineuse de Paris… Elle va à la librairie Galignani acheter *Lord Jim* et *Le Voyage sentimental*. Mais de plus en plus souvent, par de brèves indications qu'elle donne, on comprend aussi qu'elle est happée dans les trous noirs de la ville, les zones maudites dont les noms de rues reviennent dans son journal. Rue de la Bienfaisance. C'est là, dans leurs bureaux, que seront arrêtées les assistantes sociales comme elle, et son amie Françoise Bernheim. Hélène Berr échappera par hasard à cette rafle. Rue Claude-Bernard. Un patronage d'enfants et d'adolescents où les sinistres policiers des « questions juives » fouilleront et pilleront les bagages qu'ils ont confisqués à ceux qui partaient en déportation. Rue Vauquelin. Un foyer de jeunes filles qui seront raflées et déportées juste avant la libération de Paris. Le centre de la rue Édouard-Nortier, à Neuilly. Hélène s'y rend souvent pour s'occuper des enfants, les emmener en promenade, et, quand ils sont souffrants, aux Enfants-Malades, rue de Sèvres, ou à l'hôpital Rothschild, rue de Santerre. Parmi eux, le petit Doudou Wajnryb, « au sourire radieux », la petite Odette, le petit André Kahn « que je tenais par la main – un de mes petits de Neuilly que j'adore », et celui, de 4 ans, dont on ne savait même pas le nom… La plupart seront déportés le 31 juillet 1944.

J'ai voulu, un après-midi, suivre ces mêmes rues pour mieux me rendre compte de ce qu'avait pu être la solitude d'Hélène Berr. La rue Claude-Bernard et la rue Vauquelin ne sont pas loin du Luxembourg et à la lisière de ce qu'un poète appelait le « Continent Contrescarpe », une sorte d'oasis dans Paris, et l'on a de la peine à imaginer que le mal s'infiltrait jusque-là. La rue Édouard-Nortier est proche du bois de Boulogne. Il y avait sûrement en 1942 des après-midi où la guerre et l'Occupation semblaient lointaines et irréelles dans ces rues. Sauf pour une jeune fille du nom d'Hélène Berr, qui savait qu'elle était au plus profond du malheur et de la barbarie : mais impossible de le dire aux passants aimables et indifférents. Alors, elle écrivait un journal. Avait-elle le pressentiment que très loin dans l'avenir, on le lirait ? Ou craignait-elle que sa voix soit étouffée comme celles de millions de personnes massacrées sans laisser de traces ? Au seuil de ce livre, il faut se taire maintenant, écouter la voix d'Hélène et marcher à ses côtés. Une voix et une présence qui nous accompagneront toute notre vie.

Ceci est mon journal.
Le reste se trouve à Aubergenville.

1942

Je reviens… de chez la concierge de Paul Valéry. Je me suis enfin décidée à aller chercher mon livre. Après le déjeuner, le soleil brillait ; il n'y avait pas de menace de giboulée. J'ai pris le 92 jusqu'à l'Étoile. En descendant l'avenue Victor-Hugo, mes appréhensions ont commencé. Au coin de la rue de Villejust, j'ai eu un moment de panique. Et tout de suite, la réaction : « Il faut que je prenne les responsabilités de mes actes. *There's no one to blame but you* [Tu ne peux t'en prendre qu'à toi-même]. » Et toute ma confiance est revenue. Je me suis demandé comment j'avais pu avoir peur. La semaine dernière, même jusqu'à ce moment, je trouvais cela tout naturel. C'est Maman qui m'a rendue intimidée en me montrant qu'elle était très étonnée de mon audace. Autrement je trouvais cela tout simple. Toujours mon état de demi-rêve. J'ai sonné au 40. Un fox-terrier s'est précipité sur moi en aboyant, la concierge l'a appelé. Elle m'a demandé d'un air méfiant : « Qu'est-ce que c'est ? » J'ai répondu de mon ton le plus naturel : « Est-ce que M. Valéry n'a pas laissé un petit paquet pour moi ? » (Tout de même, *de loin*, je m'étonnais de mon aplomb, mais de très loin.) La concierge est rentrée dans sa loge :

17

« À quel nom ? – Mademoiselle Berr. » Elle s'est dirigée vers la table. Je savais d'avance qu'il était là. Elle a fouillé, et m'a tendu mon paquet, dans le même papier blanc. J'ai dit : « Merci beaucoup ! » Très aimablement, elle a répondu : « À votre service. » Et je suis repartie, ayant juste eu le temps de voir que mon nom était inscrit d'une écriture très nette, à l'encre noire, sur le paquet. Une fois de l'autre côté de la porte, je l'ai défait. Sur la page de garde, il y avait écrit de la même écriture : « Exemplaire de mademoiselle Hélène Berr », et au-dessous : « Au réveil, si douce la lumière, et si beau ce bleu vivant », Paul Valéry.

Et la joie m'a inondée, une joie qui venait confirmer ma confiance, qui s'harmonisait avec le joyeux soleil et le ciel bleu tout lavé au-dessus des nuages ouatés. Je suis rentrée à pied, avec un petit sentiment de triomphe à la pensée de ce que les parents diraient, et l'impression qu'au fond l'extraordinaire était le réel.

Maintenant, j'attends Miss Day qui doit venir goûter. Le ciel s'est subitement obscurci, la pluie fouette les carreaux ; on dirait que c'est grave, tout à l'heure il y a eu un éclair et du tonnerre. Demain, nous devons aller faire un pique-nique à Aubergenville avec François et Nicole Job, Françoise et Jean Pineau, Jacques Clère. En descendant les marches du Trocadéro, je pensais à demain avec joie ; après tout, il y aurait bien des éclaircies. Maintenant, ma joie est assombrie. Mais le soleil va ressortir, c'est presque fini. Pourquoi ce temps est-il si instable ? C'est comme un enfant qui rit et pleure à la fois.

La soirée a été remplie de l'excitation de demain. Ce n'était pas un débordement, mais une espèce de joie sous-jacente que parfois l'on oubliait et qui revenait doucement par moments. Il y avait des préparatifs comme pour un départ en voyage. Le train est à huit heures trente-trois. Il faut se lever à six heures quarante-cinq.

Je rentre d'Aubergenville. Tellement abreuvée de grand air, de soleil brillant, de vent, de giboulées, de fatigue et de plaisir que je ne sais plus où j'en suis. Je sais simplement que j'ai eu une crise de dépression, avant le dîner, dans la chambre de Maman, sans cause normale ou apparente, mais dont l'origine était le chagrin de voir finir cette journée merveilleuse, d'être brusquement séparée de son atmosphère. Je n'ai jamais pu m'habituer à ce que les choses agréables aient une fin. Je ne m'attendais pas à cette crise de désespoir. Je croyais avoir oublié ces choses enfantines, mais cela est venu sans que je m'en rende compte, sans que j'essaie non plus de lutter contre. Et puis en rentrant j'ai trouvé une carte d'Odile et une carte de Gérard[1], celle-ci méchante, blessante. Il se moque de moi, de ma carte. Je ne me rappelle plus de quoi il s'agissait, mais je pensais qu'il me comprendrait. Je vais lui répondre dans le même ton.

Mes yeux se ferment malgré moi. La journée défile par bribes dans mon esprit abruti, je revois le départ à la gare par une pluie battante et un ciel gris ; le voyage dans le train avec les joyeuses plaisanteries, l'impression que tout allait être bien dans cette journée, la première promenade dans le jardin dans l'herbe mouillée, sous la pluie, et la brusque apparition du ciel bleu ensoleillé à partir du petit champ, la partie de *deck tennis* avant le déjeuner, la table de la cuisine et le déjeuner très animé et très gai, la vaisselle où tous donnaient un coup de

1. Odile Neuburger et Gérard Lyon-Caen.

main, Françoise Pineau essuyant méthodiquement les assiettes, Job rangeant très régulièrement, sa pipe à la bouche. Jean Pineau rangeant une fourchette, ou une assiette à la fois et riant chaque fois qu'on l'attrapait, en ouvrant les bras d'un air évasif ; la promenade sur la route du plateau, en plein soleil, l'averse drue et brève, ma conversation avec Jean Pineau, le retour vers le village où nous avons retrouvé Jacques Clère, la promenade jusqu'à Nézel, sous un ciel lavé, et un horizon de plus en plus large et lumineux, le goûter sympathique avec le chocolat pas sucré et sans goût, le pain, la confiture ; la sensation que tous étaient heureux, le retour avec Denise et les deux Nicole[1] serrées sur une banquette pour que Job puisse se placer avec nous, mes joues brûlantes ; la belle figure de Jean Pineau en face de moi, avec ses yeux clairs et ses traits énergiques, les adieux dans le métro, et les sourires qui disaient le plaisir sincère et franc de la journée. Tout cela me semble à la fois étrangement près et étrangement loin. Je sais que c'est fini, que je suis ici, dans ma chambre et en même temps j'entends les voix, je revois les visages et les silhouettes, comme si j'étais entourée de fantômes vivants. C'est que la journée n'est plus tout à fait Présent, et n'est pas encore Passé. Le calme environnant est tout bruissant de souvenirs et d'images.

Samedi 11 avril

[...]

Pensons à autre chose. À la beauté irréelle de cette journée d'été à Aubergenville. Cette journée s'est déroulée dans sa perfection, depuis le lever du soleil plein de fraîcheur et de promesse, lumineux, jusqu'à cette soirée

1. Une cousine d'Hélène et sa belle-sœur.

20

si douce et si calme, si tendre, qui m'a baignée tout à l'heure lorsque j'ai fermé les volets.

Ce matin, en arrivant, après avoir épluché les pommes de terre, je me suis sauvée au jardin, sûre de la joie qui m'attendait. J'ai retrouvé les sensations de l'été dernier, fraîches et neuves, qui m'attendaient comme des amies. Le foudroiement de lumière qui émane du potager, l'allégresse qui accompagne la montée triomphante dans le soleil matinal, la joie à chaque instant renouvelée d'une découverte, le parfum subtil des buis en fleurs, le bourdonnement des abeilles, l'apparition soudaine d'un papillon au vol hésitant et un peu ivre. Tout cela, je le *reconnaissais*, avec une joie singulière. Je suis restée à rêver sur le banc là-haut, à me laisser caresser par cette atmosphère si douce qu'elle faisait fondre mon cœur comme de la cire ; et à chaque moment je percevais une splendeur nouvelle, le chant d'un oiseau qui s'essayait dans les arbres encore dénudés, et auquel je n'avais pas encore fait attention, et qui soudain peuplait le silence de voix, le roucoulement lointain des pigeons, le pépiement d'autres oiseaux ; je me suis amusée à observer le miracle des gouttes de rosée sur les herbes, en tournant un peu la tête, je voyais leur couleur changer du diamant à l'émeraude, puis à l'or rouge. L'une d'elles est même devenue rubis, on aurait dit des petits phares. Brusquement, en renversant la tête, pour voir le monde à l'envers, j'ai réalisé l'harmonie merveilleuse des couleurs du paysage qui s'étendait devant moi, le bleu du ciel, le bleu doux des collines, le rose, le sombre et les verts embrumés des champs, les bruns et les ocres tranquilles des toits, le gris paisible du clocher, tout baignés de douceur lumineuse. Seule l'herbe fraîche et verte à mes pieds mettait une note plus crue, comme si elle seule était vivante dans ce paysage de rêve. Je me suis dit : « Sur un tableau,

on croirait ce vert irréel, avec tous ces coloris de pastel. »
Mais c'était vrai.

J'écris ici, parce que je ne sais pas à qui parler. Je
viens de recevoir une carte presque désespérée, pleine
d'amertume et de découragement. Mon premier sentiment en la lisant a été presque du triomphe, de voir que
lui aussi était comme moi. La seconde a été la terreur,
de voir que je ne pouvais pas à mon gré tourner le déclic
de mes propres sentiments, sans qu'un autre être humain
souffre.

Il y a des phrases qui m'ont fait frémir, – votre voie
diverge de la mienne… nous allons droit dans
l'impasse… –, parce que brusquement j'ai l'impression
qu'elles confirment des intuitions vagues et obscures
que j'avais toujours eues. Et maintenant j'ai peur.

Qu'est-ce qu'il faut faire ? Nous avons l'un et l'autre
de la peine. Mais nous ne pouvons pas la mettre en commun, comme pourraient le faire deux autres personnes ;
car si j'essaie de le consoler, je lui dirai seulement que je
suis comme lui, et cela ne lui fera-t-il pas plus de peine ?
Si je mets de la tendresse dans ma réponse, je mentirai,
ou ce sera de la sentimentalité.

En même temps, j'ai l'impression que j'ai devant moi
un inconnu, un caractère d'homme, et que je n'ai aucune
expérience, et que je ne sais comment agir envers lui.

Maman seule pourrait m'aider. Mais je sais qu'elle
penserait à Papa, qu'elle me citerait des analogies dans
le cas de Papa, et elle ne comprendra pas pourquoi je me
contracte lorsqu'elle met Gérard à la place de Papa. Je
ne peux pas envisager cela comme pareil.

Il me parle de l'enthousiasme de mes cartes. C'est
pour cela que sa voie diverge de la mienne. Mais ne

comprend-il pas que si je lui envoie des « descriptions de paysages », c'est parce que je ne peux pas parler d'autre chose, de mes sentiments qui ne sont pas sûrs comme les siens ? Mais cela, je ne peux pas le lui expliquer non plus.

Par moments, un calme désespoir s'empare de moi. Je pense : j'ai toujours su que nous n'étions pas faits l'un pour l'autre. Je le sentais et cela me faisait peur quand je voyais les autres envisager autre chose ; j'ai quelque chose d'Hindou dans mon tempérament.

Mon Dieu ! qu'est-ce qu'il faut faire ? Que vais-je répondre ?

La fin de sa carte est cynique. Mais cela ne me touche même pas. S'il savait !

Pourquoi est-ce que la vie est devenue si compliquée ?

Jeudi 16 avril

[…]

Après le déjeuner, je suis repartie avec Maman en voiture chez le docteur Redon, qui m'a coupé quelques lamelles de peau sur mon doigt, pour chasser l'invisible goutte de pus, et j'ai ensuite descendu le boulevard Saint-Michel inondé de soleil, plein de monde, retrouvant ma joie familière, merveilleuse, en approchant de la rue Soufflot. À partir de la rue Soufflot, jusqu'au boulevard Saint-Germain, je suis en territoire enchanté.

[…]

[…] J'ai vu Sparkenbroke me faire des signes qui voulaient dire : « Vous restez ? » J'ai répondu non, et nous sommes sortis dans le soleil. Un étrange soulagement m'a envahie. J'aurais été trop déçue si je ne l'avais pas vu, c'était la seule lueur de paix dans cette espèce d'enfer où je vis, c'était le seul moyen de me raccrocher à ma vie normale, de me fuir.

Il a dit : « Nous allons au Luxembourg ? » J'ai regardé ma montre, Françoise Masse venait goûter. Mais je n'ai pas hésité. Il est rentré dans l'amphithéâtre chercher sa serviette, et nous sommes partis. L'étrange promenade dans les rues connues, que je ne reconnaissais plus, comme si brusquement elles étaient étrangères, la rue de l'École-de-Médecine, la rue Antoine-Dubois, la rue de Médicis. Il parlait de son projet d'écrire un *Chantecler et Pertelope*, je retrouvais sa voix nonchalante, ses intonations, ma timidité habituelle, et peu à peu le normal se rétablissait. Au Luxembourg, nous nous sommes arrêtés au bord du bassin, où voguaient des dizaines de bateaux à voile ; je sais que nous avons parlé, mais je n'ai plus qu'un souvenir de la fascination qu'exerçait sur moi l'étincellement de l'eau sous le soleil, le clapotis léger et les rides qui étaient pleines de joie, la courbe gracieuse des petits voiliers sous le vent, et par-dessus tout, le grand ciel bleu frissonnant. Autour de moi, il y avait une foule d'enfants et de grandes personnes. Mais c'était l'eau étincelante, dansante qui m'attirait. Même quand je parlais, c'était elle qui occupait mon esprit, je le sens maintenant. J'avais pourtant envie de me disputer, car Sparkenbroke me disait : « Les Allemands vont gagner la guerre. » J'ai dit : « Non ! » Mais je ne savais pas quoi dire d'autre. Je sentais ma lâcheté, la lâcheté de ne plus soutenir devant lui mes croyances ; alors, je me suis secouée, je me suis exclamée : « Mais qu'est-ce que nous deviendrons si les Allemands gagnent ? » Il a fait un signe évasif : « Bah ! rien ne changera… – je *savais* d'avance qu'il me répondrait cela –, il y aura toujours le soleil et l'eau… » J'étais d'autant plus irritée que, au fond de moi-même, à cet instant, je sentais aussi le suprême néant de toutes ces disputes, en face de la beauté. Et pourtant je savais que je cédais à un enchantement mauvais, je me reniais, je savais que je m'en voudrais de cette lâcheté. Je me suis forcée à dire : « Mais ils ne laissent pas tout le monde jouir de la lumière et de l'eau ! » Heureusement, cette phrase me sauvait, je ne voulais pas être lâche.

Car je sais maintenant que c'est de la lâcheté, on n'a pas le droit de ne penser qu'à la poésie sur la terre ; c'est une magie, mais elle est suprêmement égoïste.

[...]

Et pourtant, je suis jeune encore, c'est une injustice que toute la limpidité de ma vie soit troublée, je ne veux pas « avoir de l'expérience », je ne veux pas devenir blasée, désabusée, vieille. Qu'est-ce qui me sauvera ?

[...]

Vendredi 24 avril

[...]

Je suis rentrée ici, et comme toujours, au milieu de l'après-midi, j'ai été complètement désemparée. Je suis ressortie à six heures pour aller chez le Dr Redon. J'ai eu, boulevard du Montparnasse, au milieu de cette foule attablée aux terrasses des cafés, ou circulant bruyamment, une impression de solitude et de cafard horrible. Je ne me suis rattrapée qu'en voyant les arbres magnifiques du Petit-Luxembourg.

[...]

Lundi 27 avril

À la bibliothèque, j'ai revu ce garçon aux yeux gris ; à ma grande surprise, il m'a proposé de venir écouter des disques jeudi ; pendant un quart d'heure, nous avons discuté musique. Lorsque Francine Bacri est arrivée pour me donner le résultat de sa lecture de mon diplôme, nous parlions encore. Je sais son nom. Il s'appelle Jean Morawiecki. Avant de le savoir, je lui avais trouvé l'air slave, l'air d'un prince slave. C'est dommage qu'il ait une voix pareille.

Comme Maman a pris cette invitation le plus naturellement du monde, elle m'a paru soudain aussi tout à fait naturelle, et j'ai écrit pour accepter.

[...]

Jeudi 30 avril

J'ai passé un après-midi merveilleux.

Cela me gênait beaucoup d'aller entendre ces disques avec ce garçon totalement inconnu. Mais dès que je l'ai vu arriver dans la cour de l'Institut [d'anglais] où j'avais fixé le rendez-vous, ma gêne a disparu. Tout était très simple.

Il nous a emmenés, moi et un de ses camarades que je connais de vue, très laid, mais sympathique, à la Maison des lettres, rue Soufflot.

Jusqu'à six heures trente, nous avons écouté des disques. Au début, il y avait à côté un étudiant qui jouait du Chopin sans arrêt, ce qui nous dérangeait. Mais après, nous avons eu la paix. J'ai entendu un quintette de Jean-Chrétien Bach, le début de la *Huitième Symphonie*, l'adagio de la *Dixième*, que j'avais demandé, et qui a été une splendeur, un concerto pour clarinette et orchestre de Mozart, une cantate de Bach, deux préludes de Bach et l'*Ode funèbre* de Mozart, un morceau magnifique.

C'était très drôle : ils m'ont servi du thé et des toasts, le thé était imbuvable, mais l'attention était touchante.

Je suis rentrée avec Jean Morawiecki : il viendra dimanche et apportera un quatuor de Beethoven.

[...]

Lundi 4 mai

[...]

Je crois qu'avec Gérard j'aurai manqué tout ce qui doit être si beau, l'éveil, la floraison magnifique, peu à peu, profondément, silencieusement ! Il y a quelque chose de trop normal et pourtant c'est moi qui rabaisse la chose ainsi. Est-ce qu'un jour je détruirai ces pages parce que j'aurai choisi Gérard ?

Qu'est-ce que je vais devenir ? Je ne sais pas où je vais et ce que sera demain.

Jeudi 7 mai

J'ai revu Jean Morawiecki aujourd'hui, au cours de Delattre. Après le cours, nous sommes allés rue de l'Odéon puis au Luxembourg ; jusqu'à cinq heures, je suis restée assise sur un banc sous les marronniers de la grande allée. Là, il y avait du silence et de l'ombre. En plein soleil, la chaleur était insupportable.

Il était encore plus pâle que d'habitude. Il ne peut pas supporter le soleil. Est-il malade ?[1]

Je crois que j'ai découvert ce qu'il est. Son père devait être quelque chose dans une ambassade. Il m'a dit aujourd'hui qu'à Barcelone son père recevait toutes les personnalités de passage. (À propos de Paul Valéry.) Dimanche, il avait dit qu'il n'était jamais resté plus de trois mois dans la même ville. Sa distinction, son raffinement sont essentiellement aristocratiques.

En ce moment, j'entends sa voix, sa voix un peu haute, aux intonations légèrement affectées. Chaque fois que je le regardais, il détournait la tête.

Il nous a invitées, Denise et moi, jeudi prochain à écouter des disques de musique russe.

Samedi soir, 9 mai

J'ai été folle, je crois, aujourd'hui.

J'ai été complètement exaltée. J'ai dit à Nicole des choses que jamais je n'aurais dû dire.

1. Jean Morawiecki a un rhume des foins.

Et pourtant, avant le dîner encore, elles me semblaient réelles. Ce charme me semblait réel, je savais que désormais, il serait là, à m'attendre à chaque tournant.

Mais, ce soir, je suis si fatiguée que je vois tout à travers un voile épais ; je ne sens plus rien, je ne comprends même pas comment j'ai pu être si bouleversée, je suis froide, je me trouve stupide.

Il y a eu la lettre de Gérard, le déjeuner avec Simone, le quatuor de Beethoven, et la conversation avec Nicole sur l'appui de la fenêtre, la vue plongeant sur les marronniers en fleur. Qu'est-ce que j'ai dit ? Qu'est-ce que j'ai pensé aujourd'hui ? Est-ce que demain le même drame recommencera ?

Je crois que je vais dormir.

[...]

Lundi 1er juin

Refait l'Ancien Rivoli dans la matinée. Maman est venue m'annoncer la nouvelle de l'étoile jaune[1], je l'ai refoulée, en disant : « Je discuterai cela après. » Mais je savais que quelque chose de désagréable était *at the back of my mind* [me préoccupait confusément].

[...]

Jeudi 4 juin

[...]

Il faisait une chaleur brûlante quand je suis repartie,

---

1. Le 29 mai 1942, la huitième ordonnance allemande « concernant les mesures contre les juifs » leur impose en public le port de l'étoile jaune dès l'âge de 6 ans : « L'étoile juive est une étoile à six pointes ayant les dimensions de la paume d'une main et les contours noirs. Elle est en tissu jaune et porte, en caractères noirs, l'inscription JUIF. Elle devra être portée bien visiblement sur le côté gauche de la poitrine et solidement cousue sur le vêtement. »

j'ai pris le 92. Chez Mme Jourdan, j'ai rencontré [...] avec qui nous avons discuté la question de l'insigne[1]. À ce moment-là, j'étais décidée à ne pas le porter. Je considérais cela comme une infamie et une preuve d'obéissance aux lois allemandes.

Ce soir, tout a changé à nouveau : je trouve que c'est une lâcheté de ne pas le faire, vis-à-vis de ceux qui le feront.

Seulement, si je le porte, je veux toujours être très élégante et très digne, pour que les gens voient ce que c'est. Je veux faire la chose la plus courageuse. Ce soir, je crois que c'est de le porter.

Seulement, où cela peut-il nous mener ?

[...]

Lundi 8 juin

C'est le premier jour où je me sente réellement en vacances. Il fait un temps radieux, très frais après l'orage d'hier. Les oiseaux pépient, un matin comme celui de Paul Valéry. Le premier jour aussi où je vais porter l'étoile jaune. Ce sont les deux aspects de la vie actuelle : la fraîcheur, la beauté, la jeunesse de la vie, incarnée par cette matinée limpide ; la barbarie et le mal, représentés par cette étoile jaune.

[...]

Lundi soir

Mon Dieu, je ne croyais pas que ce serait si dur.

J'ai eu beaucoup de courage toute la journée. J'ai porté la tête haute, et j'ai si bien regardé les gens en face qu'ils détournaient les yeux. Mais c'est dur.

1. L'étoile jaune.

D'ailleurs, la majorité des gens ne regarde pas. Le plus pénible, c'est de rencontrer d'autres gens qui l'ont. Ce matin, je suis partie avec Maman. Deux gosses dans la rue nous ont montrées du doigt en disant : « Hein ? T'as vu ? Juif. » Mais le reste s'est passé normalement. Place de la Madeleine, nous avons rencontré M. Simon, qui s'est arrêté et est descendu de bicyclette. J'ai repris toute seule le métro jusqu'à l'Étoile. À l'Étoile, je suis allée à l'Artisanat chercher ma blouse, puis j'ai repris le 92. Un jeune homme et une jeune fille attendaient, j'ai vu la jeune fille me montrer à son compagnon. Puis ils ont parlé.

Instinctivement, j'ai relevé la tête – en plein soleil –, j'ai entendu : « C'est écœurant. » Dans l'autobus, il y avait une femme, une *maid* [domestique] probablement, qui m'avait déjà souri avant de monter et qui s'est retournée plusieurs fois pour sourire ; un monsieur chic me fixait : je ne pouvais pas deviner le sens de ce regard, mais je l'ai regardé fièrement.

Je suis repartie pour la Sorbonne ; dans le métro, encore une femme du peuple m'a souri. Cela a fait jaillir les larmes à mes yeux, je ne sais pourquoi. Au Quartier latin, il n'y avait pas grand monde. Je n'ai rien eu à faire à la bibliothèque. Jusqu'à quatre heures, j'ai traîné, j'ai rêvé, dans la fraîcheur de la salle, où les stores baissés laissaient pénétrer une lumière ocrée. À quatre heures, J. M. est entré. C'était un soulagement de lui parler. Il s'est assis devant le pupitre et est resté là jusqu'au bout, à bavarder, et même sans rien dire. Il est parti une demi-heure chercher des billets pour le concert de mercredi ; Nicole est arrivée entre-temps.

Quand tout le monde a eu quitté la bibliothèque, j'ai sorti ma veste et je lui ai montré l'étoile. Mais je ne pouvais pas le regarder en face, je l'ai ôtée et j'ai mis le bouquet tricolore qui la fixait à ma boutonnière. Lorsque j'ai levé les yeux, j'ai vu qu'il avait été frappé en plein cœur.

Je suis sûre qu'il ne se doutait de rien. Je craignais que toute notre amitié ne fût soudain brisée, amoindrie par cela. Mais après, nous avons marché jusqu'à Sèvres-Babylone, il a été très gentil. Je me demande ce qu'il pensait.

Mardi 9 juin

Aujourd'hui, cela a été encore pire qu'hier.

Je suis éreintée comme si j'avais fait une promenade de cinq kilomètres. J'ai la figure tendue par l'effort que j'ai fait tout le temps pour retenir des larmes qui jaillissaient je ne sais pourquoi.

Ce matin, j'étais restée à la maison, à travailler du violon. Dans Mozart, j'avais tout oublié.

Mais cet après-midi tout a recommencé, je devais aller chercher Vivi Lafon à la sortie de l'agreg [l'agrégation d'anglais] à deux heures. Je ne voulais pas porter l'étoile, mais j'ai fini par le faire, trouvant lâche ma résistance. Il y a eu d'abord deux petites filles avenue de La Bourdonnais qui m'ont montrée du doigt. Puis, au métro à l'École militaire (quand je suis descendue, une dame m'a dit : « Bonjour, mademoiselle »), le contrôleur m'a dit : « Dernière voiture[1]. » Alors, c'était vrai le bruit qui avait couru hier. Cela a été comme la brusque réalisation d'un mauvais rêve. Le métro arrivait, je suis montée dans la première voiture. Au changement, j'ai pris la dernière. Il n'y avait pas d'insignes. Mais rétrospectivement, des larmes de douleur et de révolte ont jailli à mes yeux, j'étais obligée de fixer quelque chose pour qu'elles rentrent.

1. Le 7 juin 1942, à la demande des autorités allemandes, le préfet de la Seine impose aux juifs de ne voyager dans le métro qu'en seconde classe et dans la dernière voiture de la rame. Pour éviter tout scandale, le préfet précise à ce sujet qu'aucune affiche ne sera apposée « ni aucun communiqué fait au public ».

Je suis arrivée dans la grande cour de la Sorbonne à deux heures tapantes, j'ai cru apercevoir Molinié au milieu, mais, n'étant pas sûre, je me suis dirigée vers le hall au bas de la bibliothèque. C'était lui, car il est venu me rejoindre. Il m'a parlé très gentiment, mais son regard se détournait de mon étoile. Quand il me regardait, c'était au-dessus de ce niveau, et nos yeux semblaient dire : « N'y faites pas attention. » Il venait de passer sa seconde épreuve de philo.

Puis il m'a quittée et je suis allée au bas de l'escalier. Les étudiants flânaient, attendaient, quelques-uns me regardaient. Bientôt, Vivi Lafon est descendue, une de ses amies est arrivée et nous sommes sorties au soleil. Nous parlions de l'examen, mais je sentais que toutes les pensées roulaient sur cet insigne. Lorsqu'elle a pu me parler seule, elle m'a demandé si je ne craignais pas qu'on m'arrache mon bouquet tricolore, et ensuite elle m'a dit : « Je ne peux pas voir les gens avec ça. » Je sais bien ; cela blesse les autres. Mais s'ils savaient, eux, quelle crucifixion c'est pour moi. J'ai souffert, là, dans cette cour ensoleillée de la Sorbonne, au milieu de tous mes camarades. Il me semblait brusquement que je n'étais plus moi-même, que tout était changé, que j'étais devenue étrangère, comme si j'étais en plein dans un cauchemar. Je voyais autour de moi des figures connues, mais je sentais leur peine et leur stupeur à tous. C'était comme si j'avais eu une marque au fer rouge sur le front. Sur les marches, il y avait Mondoloni et le mari de Mme Bouillat. Ils ont eu l'air stupéfaits quand ils m'ont vue. Et puis, il y avait Jacqueline Niaisan, qui m'a parlé comme si de rien n'était, et Bosc, qui avait l'air gêné, mais à qui j'ai tendu la main pour le mettre à son aise. J'étais naturelle, superficiellement. Mais je vivais un cauchemar. À un moment, Dumurgier, celui à qui j'avais prêté un livre, est venu me demander quand il pourrait me remettre mes notes. Il avait l'air naturel, mais j'avais l'impression que c'était exprès. Lorsque enfin j'ai vu sortir J. M., je ne sais pas ce qui s'est passé en moi, un soulagement brusque, en voyant son visage, parce que lui, il savait et il me connaissait. Je l'ai appelé ; il s'est retourné et a souri. Il était très pâle. Puis il m'a dit : « Excusez-moi, je ne sais plus très bien où je suis. » J'ai réalisé qu'il était complètement perdu et éreinté. Mais il souriait quand même, et n'avait même pas l'air, lui, d'être changé. Au bout d'un moment, il m'a demandé si je n'avais rien de spécial à faire. Il m'a dit qu'il viendrait me retrouver dans la cour, qu'il allait chercher Molinié. Je suis revenue vers le groupe Vivi Lafon, Marguerite Cazamian et une autre petite qui est charmante. Peu après, elles m'ont emmenée avec elles au Luxembourg. Je ne sais pas si J. M. est revenu. Mais il valait mieux que je ne l'attende pas. Pour nous deux : j'étais trop énervée, et lui aurait cru que j'étais venue pour lui. Au Luxembourg, nous nous sommes attablées devant des verres de citronnade et d'orangeade. Elles étaient charmantes. Vivi Lafon, Mlle Cochet, qui est mariée depuis deux mois, la petite dont je ne connais pas le nom, et Marguerite Cazamian. Mais je crois qu'aucune ne comprenait ma souffrance. Si elles l'avaient comprise, elles auraient dit : « Mais alors, pourquoi le[1] portez-vous ? » Cela les choque peut-être un peu de voir que je le porte. Moi aussi, il y a des moments où je me demande pourquoi je le fais, je sais évidemment que c'est parce que je veux éprouver mon courage.

[…]

Maintenant, en racontant ma journée à Maman, j'ai été obligée de me précipiter dans ma chambre pour ne pas pleurer, je ne sais pas ce que j'ai.

1. L'insigne, c'est-à-dire l'étoile jaune.

J. M. a téléphoné ici vers trois heures et demie pour dire qu'il m'attendait à dix heures moins le quart demain matin ; il a dû revenir me chercher. Il a une attitude très chic, et je suis pleine de reconnaissance, ou plutôt c'est ce que j'espérais de lui.

[…]

Vendredi 12

[…]

Ensuite, au moment de sortir, je suis venue lui dire au revoir avec mon insigne sur la poche. Cela l'a blessée naturellement. Elle m'a dit de le mettre autre part. J'étais exaspérée d'avoir à le mettre. Je l'ai ôté carrément et mis sur mon imperméable. Elle m'a alors dit de le remettre. Nous nous sommes exaspérées mutuellement, et je suis partie en claquant la porte.

[…]

Nous sommes rentrés à pied. Avant de nous séparer des Pineau, avenue Bosquet, nous avons eu une grande conversation. Impression merveilleuse, enthousiasmante, d'avoir de *vrais* amis, qui vous aiment, qui vous comprennent. Jamais je n'ai eu cette impression avant. En nous serrant la main, Jean Pineau a dit : « En tout cas vous êtes des jeunes filles épatantes, si, si merveilleuses. » C'était une chose qui venait de son cœur, une idée qui est sous-jacente dans toutes nos conversations, et qui crée cette atmosphère unique. J'étais si reconnaissante que j'ai traversé sans savoir ce que je faisais.

Lorsque je passe en revue cette semaine, je m'aperçois qu'il plane au-dessus un ciel sombre, cela a été une semaine de tragédie, une semaine bouleversée, chaotique. Mais, en même temps, il y a quelque chose d'exaltant à la pensée des compréhensions merveilleuses que j'ai rencontrées, les Pineau, J. M. Il y a du beau mêlé au tragique. Une espèce de resserrement de la beauté au cœur de la laideur. C'est très étrange.

[…]

Lundi soir, 15 juin

La vie continue à être étrangement sordide et étrangement belle. Il s'y passe maintenant, pour moi, les choses que j'ai toujours crues réservées au monde des romans.

[…]

À la bibliothèque, jusqu'à trois heures j'ai lu *Crime et Châtiment*, qui maintenant m'empoigne. À un moment, la porte s'est ouverte, et j'ai su, avec un calme extraordinaire, que c'était J. M. qui entrait. Il est resté un moment, puis il est reparti téléphoner. L'étrange est que nous ne trouvions rien à dire. Il m'avait apporté des livres. Il a commencé à me dire : « Voyons, c'était quel jour ?... » et pendant cinq minutes a cherché ; il a fini par me dire que, vendredi soir, il avait téléphoné à la maison pour me demander de venir fêter la fin des examens avec Molinié et lui. Bernadette ne m'avait rien dit.

[…]

Jeudi

Est-ce que j'ai été folle jusqu'à maintenant et que maintenant je vois clair ?

Est-ce que je suis folle en ce moment ?

J'ai reçu quatre cartes de Gérard ce soir. Il ne peut pas savoir ce qui se passe en moi. Il a confiance, confiance malgré ma froideur. Il ne sait pas le reste. Il attend notre réunion. Il y a trois semaines cela m'aurait fait entrevoir des possibilités de bonheur. Ce soir, cela m'a simplement fait une impression très douloureuse.

Je ne sais pas si j'ai raison.

Il y a un mois, j'étais sans direction. Maintenant, quelque chose en moi s'est orienté dans une autre direction, parce que j'ai essayé de vivre normalement, comme si rien n'existait. Et voilà ce qui est arrivé.

Je crois que c'était écrit. Cela devait arriver. Depuis le début, je me suis demandé si ce n'était pas parce que je ne connaissais personne d'autre que je m'étais engagée. Personne, pas même Maman, n'a compris mon anxiété. Si, peut-être Yvonne, mais elle est si loin.

J'ai essayé une semaine de lutter. Mais à quoi cela sert-il ? Si cette chose-là doit se produire, je ne peux pas, je ne dois pas l'empêcher.

Je ne sais pas si l'autre chose est sûre, seulement elle m'a fait brusquement réaliser que la première fois, rien de moi n'était pris.

Ou plutôt, il n'y a que ma tête qui soit prise. On ne peut pas aimer avec la tête et la raison.

Est-ce parce que je ne le vois pas que je ne l'aime pas autrement ? C'est toute la question.

Toujours j'ai pensé qu'il y avait quelque chose qui me manquait dans Gérard.

Est-ce que j'ai tort ou raison ?

S'il était là, et s'il n'y avait rien entre nous, je pourrais choisir librement. Mais ce simple fait d'être engagée me tourmente, et m'empêche peut-être de voir clair.

Je ne peux pas nier que je suis engagée. Mais je ne sais pas comment cela s'est fait. Tout vient de ce que j'aime trop écrire des lettres.

Il faudrait tout recommencer. Maintenant, je ne vois pas du tout, du tout l'avenir.

Cette nuit, je me suis endormie en pleurant. J'avais parlé à Maman. Elle était venue me dire bonsoir. Elle s'était attardée dans la chambre. Je savais qu'elle attendait. Je lui ai dit, et après j'ai regretté, parce que j'ai déformé ma pensée, parce que je ne sais pas si je pense ce que je dis, parce que c'est déloyal de dire des choses fausses, parce que je ne veux pas qu'on s'occupe de moi, parce que cela m'a naturellement fait pleurer.

Et ce matin, en me réveillant, j'ai retrouvé la dispute toute prête dans ma tête. En plus, je suis vidée, comme après une crise de larmes.

Je relis les cartes d'hier soir. Elles m'empoignent, malgré moi. Mais en me donnant une impression douloureuse, comme si c'était quelque chose de perdu ; de fini.

Comment suis-je venue à lui laisser m'écrire comme cela, sans que je l'aime ? Quand je lis, je me dis que je perds quelque chose de merveilleux. Et quand je réfléchis, le vieux dualisme reparaît.

J'ai répondu.

Une carte décousue, décevante, décourageante.

Lorsque j'ai commencé, je me suis rappelé soudain le plaisir avec lequel j'écrivais avant. Il m'a semblé que quelque chose était brisé, j'étais paralysée.

Avant, je devais être aveugle. Je n'aurais pas dû écrire comme cela, n'étant pas sûre de mes sentiments.

Mais est-ce vrai que tout s'est clarifié ? Ou est-ce maintenant que je suis aveugle ? Et si vraiment tout s'est clarifié, ne vais-je pas me trouver devant le désert ?

Singleness of mind [sentiment de solitude].

[...]

Mercredi 24 juin

Je voulais écrire ceci hier soir. Mais j'étais trop abrutie et je n'aurais pas pu faire l'effort.

Ce matin, je me force à le faire, parce que je veux me souvenir de tout.

La première fois où je me suis éveillée et que j'ai vu la lumière du matin à travers les volets, brusquement

37

l'idée m'est venue que Papa n'aurait pas son petit déjeuner normal ce matin, qu'il n'arriverait pas à la table du petit déjeuner, pour prendre ses morceaux de pain grillé et verser son café. Cela m'a causé une peine immense.

Ce n'était que la première fois, peu à peu (je me suis souvent à demi rendormie) d'autres pensées sont venues, qui me faisaient réaliser ce qui s'était passé, le bruit des clefs dans sa poche, des volets qu'il ouvrait dans sa chambre, je l'attends toujours pour me lever, parce qu'il va allumer le gaz. À ces moments-là, je réalise. En ce moment même, je ne le fais pas bien.

C'était hier, à peu près à cette heure-ci. J'étais sortie deux fois dans la matinée. Une première fois dans le quartier, pour voir s'il y avait du fromage à la crème pour déjeuner – Simone venait. La seconde, j'avais pris le 92 jusqu'à l'Étoile pour aller à l'Artisanat, et de là je suis allée à la Bibliothèque américaine. Comme je devais rentrer avec Papa, j'ai pensé qu'il était trop tôt et je me suis attardée rue de Téhéran.

[...]

Vers midi et demi, le téléphone a sonné, c'était une voix d'homme inconnue. Nous avons tout de suite compris : l'inspecteur de police qui avait arrêté Papa, j'ai décroché l'autre récepteur. Cela faisait un effet étrange d'entendre raconter cette histoire par une voix étrangère. Cela la confirmait, lui donnait son cachet d'authenticité. Jusque-là, cela n'aurait pu être qu'une chose qui nous appartenait, peut-être même qui n'existait pas vraiment. À partir de ce moment, nous avons su qu'elle s'était vraiment passée. Il y avait quelque chose d'irrémédiable.

L'inspecteur a affirmé que Papa aurait été relâché si son étoile avait été bien cousue, car l'interrogatoire avenue Foch s'était bien passé. J'ai protesté. Maman aussi ;

elle a expliqué qu'elle l'avait installée à l'aide d'agrafes et de pressions pour pouvoir la mettre sur tous les costumes. L'autre a continué d'affirmer que c'était cela qui avait causé l'internement : « Au camp de Drancy, elles sont cousues. » Alors, cela nous a rappelé qu'il allait à Drancy[1].

[...]

La voiture s'est arrêtée près du marché aux fleurs. Nous sommes descendues avec nos bagages. Et une espèce de pèlerinage a commencé. Je portais le *rucksack* [sac à dos] et les couvertures, Denise le panier. À la porte de la Préfecture, un agent nous a arrêtées : Maman a commencé la petite histoire, mais c'était la première fois et cela m'a donné le frisson : « C'est pour voir un interné qui part pour Drancy. On nous a dit d'apporter cela... » J'avais tout à fait accepté mon rôle, pour l'instant. Nous avons enfilé d'innombrables escaliers, des corridors dénudés, avec des petites portes à droite et à gauche, je me demandais si c'était des cellules et si Papa était là-dedans ; on nous a renvoyées d'un étage à l'autre. Il y avait dans les couloirs des hommes à mine patibulaire, ou que je m'imaginais être tels, et des employés assis à des petites tables, tous très corrects. Le sac était lourd. Au dernier étage, Maman a eu du mal à monter. En moi-même je disais : « Monte, c'est bientôt fini. » C'était un peu un calvaire.

Après quelques allées et venues dans un long couloir sur lequel s'ouvraient des portes vitrées, on nous a introduites dans la pièce n° ?, en tout cas, celle des étrangers, car au téléphone, l'agent avait dit : « Cinquième étage. Non, il est français. Au troisième. » Mais au troisième, il

1. À partir de l'été 1942, la quasi-totalité des juifs internés sont conduits à Drancy avant le départ vers Auschwitz.

n'y était pas. C'était une pièce anonyme, avec une espèce de barre derrière laquelle se tenaient plusieurs employés. Il y avait une petite porte en bois dans cette demi-cloison. À droite s'ouvrait une autre porte devant laquelle se tenait un agent, un petit agent brun, jeune. Il avait l'air de comprendre. C'est par cette porte que l'employé est entré appelant Berr, lorsque nous avons indiqué le motif de notre visite.

À partir du moment où Papa est entré, il m'a semblé brusquement que l'après-midi se raccrochait automatiquement à ce passé si récent où nous étions tous ensemble, et que tout le reste n'était qu'un cauchemar. Cela a été en quelque sorte une accalmie, une éclaircie avant l'orage. Quand j'y réfléchis maintenant, je m'aperçois que cela a été une bénédiction. Nous avons revu Papa *après* la première phase de la tragédie, après l'arrestation. Il nous l'a racontée. Nous avons vu son sourire.

Nous l'avons vu partir avec le sourire. Nous savons tout et j'ai l'impression qu'ainsi nous sommes encore plus unis, qu'il est parti pour Drancy lié encore plus étroitement à nous.

Il est entré avec son sourire radieux, prenant la situation au comique : il était sans cravate, et au début cela m'a donné un choc, on l'avait déjà dénudé en deux heures. Papa sans cravate ; il avait l'air d'un « détenu », déjà. Mais cela a été fugitif. L'un des employés, avec des excuses, lui a dit qu'il allait lui rendre sa cravate, ses bretelles et ses lacets. Tous riaient. L'agent nous expliquait pour nous rassurer que c'était un ordre car hier un détenu avait essayé de se pendre.

Je revois Papa se rhabillant posément dans la salle. On lui avait d'abord donné la cravate de M. Rosenberg, Papa savait déjà le nom de ses codétenus. Il avait fait leur connaissance, je lui ai demandé des précisions sur eux, et j'ai été ragaillardie par quelque chose d'inexprimable. J'avais l'impression que Papa les avait étudiés avec un détachement amusé, et qu'il trouvait cela très drôle – ainsi, il avait gardé non seulement son calme, mais son *sense of humour*. Mon cœur s'est rempli de reconnaissance joyeuse. Mais tout cela est inexplicable.

Je ne me souviens plus que de quelques épisodes de ces deux heures. Au début, j'étais assise sur le banc de bois en face de Papa et Maman, en train de recoudre l'étoile de Papa. Denise déversait son indignation chez l'agent, qui l'appuyait avec sympathie. J'avais la bouche fermée. Je tâchais de réaliser la situation. Plutôt à ce moment-là, je la réalisais pleinement et mon esprit était occupé par le présent.

On aurait dit que nous attendions un train. Mais nous étions beaucoup plus calmes que si nous avions attendu un train. L'atmosphère était presque joyeuse. C'est l'attitude de Papa qui l'avait créée. Par moments, j'avais de vagues pressentiments du futur immédiat, de ce qui allait suivre ces deux heures. Mais, au fond, cela n'avait guère de signification.

Nous bavardions avec les employés, avec l'agent. Il y avait un petit monsieur très soigné, avec une moustache, et un air *concerned* [préoccupé] – qui aurait pu sortir d'un livre de Dickens, un peu genre M. Chillip. Il nous recommandait, à Denise et à moi, la prudence. Il était sincèrement désolé de ce qui arrivait et très respectueux. Le plus jeune des employés se balançait sur le portillon, et n'avait pas l'air de s'ennuyer. Il y avait quelque chose de comique dans cette scène, où le détenu était Papa, où les autorités étaient pleines de respect et de sympathie. On se demandait ce que nous faisions tous là.

Mais c'est parce qu'il n'y avait pas d'Allemands. Le sens plein, le sens sinistre de tout cela ne nous apparaissait pas, parce que nous étions entre Français.

J'oublie de noter les détails donnés par Papa sur son arrestation, c'est tout ce que j'ai su et je n'en saurai pas plus avant de le revoir. Il est en effet allé rue de Greffulhe, et ensuite avenue Foch, où un officier (moi, j'ai compris un soldat) boche s'est jeté sur lui en l'accablant d'injures (*schwein* [sale porc], etc.) et lui a arraché son étoile, en disant : « Drancy, Drancy. » C'est tout ce que j'ai entendu. Papa parlait d'une façon assez entrecoupée, à cause de toutes les questions que nous lui posions.

À un moment, j'ai remarqué une plus grande animation. La porte sur le couloir s'ouvrait et se fermait sans cesse. Finalement, un agent a dit assez haut : « Elles essayent de communiquer avec le détenu par les fentes du mur. » Alors, un employé a dit : « Laissez-les entrer, c'est la mère et la fiancée. » Je n'avais jamais mis les pieds dans une prison avant. Lorsque j'ai réalisé la situation dépeinte en ce peu de mots, brusquement toutes les scènes de commissariat de police de *Crime et Châtiment* me sont revenues à l'esprit, ou plutôt une seule, une scène généralisée. Il m'a semblé que tout *Crime et Châtiment* se passait dans une salle de commissariat de police.

La porte s'est ouverte, et trois femmes sont entrées, la mère, une grosse blonde vulgaire, la fiancée et une autre qui devait être la sœur, on a introduit le détenu, un jeune homme très brun, qui avait une beauté un peu sauvage, c'était un juif italien, inculpé pour hausse illicite[1], je crois. Ils se sont tous assis sur le banc de bois en face. À partir de ce moment, il y a eu du tragique dans l'atmosphère. En même temps, nous étions, tous les quatre ensemble, tellement éloignés de ces pauvres gens, que je n'arrivais plus à concevoir que Papa fût arrêté aussi.

[...]

1. Marché noir.

Il y a eu un moment ce soir où j'ai commencé à réaliser. À réaliser l'affreuse tristesse de ce qui se passe. Ce n'est pas en faisant la tarte pour Papa. Pourtant, là, j'étais assaillie par des petits souvenirs, les tournées de Papa à la cuisine, sa façon de humer les gâteaux que nous faisions. Mais cela ne me faisait pas de peine ; au contraire, ils rendaient sa présence plus vivante, et éloignaient de plus en plus la compréhension de la situation actuelle.

Mais c'est en relisant des passages de sa carte, les phrases qui commencent par « mes petites filles », la description de ce qu'il avait fait en vingt heures. Au début, cela ne m'avait pas attristée, dans la joie où j'étais de savoir ce qu'il faisait là-bas. Mais j'ai réalisé le vide de cette existence nouvelle, la signification de ces préoccupations matérielles. À première vue, on croit qu'il organise une vie nouvelle ; puis on comprend ce que veut dire cette vie.

Et pourtant, en regardant cette carte, je n'arrivais pas à saisir la réalité : cette écriture de Papa me rappelle seulement les lettres qu'il nous écrivait de voyage. Récemment, je l'ai vu sur les cartes qu'il envoyait à Jacques et Yvonne, et où il parlait surtout d'Aubergenville. Je n'arrivais pas à réconcilier cette écriture, avec son sens, avec le sens de ses mots.

Et maintenant, à nouveau, je ne réalise plus.

Si, brusquement, dans le noir : je m'aperçois qu'entre le Papa d'ici et celui qui est là-bas et a écrit cette carte, il commence à se creuser un abîme infranchissable.

[...]

Lundi 29 juin

Il n'y a plus rien de déterminé le matin quand on se lève. Mais toujours quelque chose d'inattendu à faire.

Ce matin, j'ai reçu une carte de Gérard, pas la n° 1, une qui date d'avant. Je me suis débattue un moment, et puis j'ai oublié.

Je suis allée porter une lettre à Mme Duc chez Thérèse. C'est sa femme de ménage qui m'a reçue ; elle m'a juré que les Russes me vengeraient !

En rentrant, en marchant avenue de La Bourdonnais, je pensais, je crois, à mes souliers. J'ai eu soudain conscience qu'un monsieur venait vers moi, je suis sortie de ma pensée. Il m'a tendu la main, et m'a dit d'une voix forte : « Un catholique français vous serre la main… et puis, la revanche ! » J'ai dit merci, et je suis partie en commençant à réaliser ce qui s'était passé. Il y avait d'autres personnes dans la rue, assez loin. J'avais presque envie de rire. Et pourtant, c'était chic, ce geste. Il devait être Alsacien ; il avait trois rubans à sa boutonnière.

Dans la rue, on est sans cesse obligé de représenter, c'est une épreuve de sortir.

[…]

Françoise Masse m'a dit hier que sur les quatre-vingts femmes déportées des Tourelles[1] la semaine dernière, il y en avait une par exemple qui l'avait été parce que son enfant de 6 ans et demi ne portait pas l'étoile. Parmi elles se trouve la fille d'une femme médecin que connaissent à la fois J. M. (elle habite Saint-Cloud) et Françoise. Elle est condamnée aux travaux forcés à perpétuité. Ils sont paraît-il près de Cracovie, les autres.

Dimanche, nous sommes allées à Aubergenville, Denise, Nicole, Françoise et moi. Maman, à la dernière minute,

---

1. À la caserne des Tourelles, boulevard Mortier à Paris.

n'est pas venue car elle voulait voir M. Aubrun. Il valait mieux qu'elle ne vienne pas. Je crois que cela aurait été une épreuve trop dure.

J'ai réussi à ne pas penser. D'abord, nous avons beaucoup parlé en route. Et en cueillant les framboises, j'ai pensé à autre chose, à laquelle je ne peux pas m'empêcher de penser. Évidemment, nous avions l'impression d'un vide, et j'étais tout le temps à joindre Denise ici et là pour diriger les opérations de cueillette, pour l'aider. Mais nous n'avons pas parlé de ce que nous sentions.

Nous sommes restées dans les framboisiers tout l'après-midi. Au début, nous aurions pu croire que c'était une simple expédition de semaine, sans les parents. Mais au fond de nos consciences, il y avait le souvenir des événements récents. Quand j'y repense maintenant, je m'aperçois que nous étions complètement isolées dans les framboisiers, et que le reste du jardin continuait à vivre de sa vie à part, qu'il doit avoir quand nous ne sommes pas là. Je n'arrive plus à communier avec lui, à sentir qu'il m'aime et qu'il m'accueille. Il est presque devenu indifférent. C'est de ma faute, car plus jamais, en arrivant, je ne fais ma tournée. Et puis nous venons toujours en coup de vent.

Les rosiers parasols étaient en fleurs, les rouges et les roses. Cela m'a rappelé la *garden-party*.

J'ai essayé de prendre la place de Papa. Pour éviter que Denise y pense. J'ai tiré la remorque, chargé les paquets.

Avant de partir, nous avons dit au revoir aux Hup. Ils savaient tout, mais n'avaient rien dit à leurs enfants. En parlant à Mme Hup, j'ai vu soudain son visage se tordre en une grimace de douleur, pour pleurer. C'était horrible. Mais cela n'a duré qu'un instant. M. Hup[1] est venu

1. Jardinier d'Aubergenville.

nous aider à cueillir des cerises. Nous avons parlé de ce qu'il fallait faire pour Papa. Les projets ont toujours un côté matériel qui vous occupe l'esprit.

Dans le train, en revenant, nous étions inondées de jus de framboises. J'avais de plus cassé un œuf qui coulait. Nous avons donné nos places à des femmes qui avaient des bébés. À la gare, Andrée et son mari, et Louise nous attendaient. Cela avait quelque chose de réconfortant. Et en même temps, lorsqu'on réfléchissait à cette impression, on savait qu'elle cachait quelque chose de triste.

[...]

Vendredi matin, 7 heures
3 juillet

Je me réveille avec une seule idée claire : c'est une lâcheté abominable que l'on veut nous faire commettre. À quoi d'autre fallait-il s'attendre de la part des Allemands ? En échange de Papa, ils nous prennent ce que nous estimons le plus : notre fierté, notre dignité, notre esprit de résistance. Non lâcheté. Les autres gens croient que nous jouissons de cette lâcheté. Jouir ! Mon Dieu.

Et au fond, ils seront contents de ne plus avoir à nous admirer et à nous respecter.

Pour les Allemands aussi, le marché est avantageux : Papa en prison, cela indigne trop de monde. Cela leur fait une mauvaise réclame. Papa sorti de prison et reprenant sa vie, c'est un obstacle et un danger pour eux. Mais Papa disparaissant en zone libre, l'affaire devenant bien calme, bien plate, c'est leur idéal. Ils ne veulent pas de héros. Ils veulent rendre méprisable, ils ne veulent pas exciter l'admiration pour leurs victimes.

Mais si c'est cela, je fais le vœu de continuer à les gêner de toutes mes forces.

Il y a en moi deux sentiments qui reviennent à peu près au même, quoique leur type soit différent : le premier, c'est le sentiment de la lâcheté commise en s'en allant, une lâcheté qui nous est imposée, lâcheté vis-à-vis des autres internés, et des pauvres malheureux ; et celui du sacrifice de la joie de lutter, qui est le sacrifice d'un bonheur, parce que en plus de la joie de cet héroïsme, il y a les compensations de l'amitié, de la communauté dans la résistance.

Au fond, je me place à un double point de vue : pour moi, partir n'est pas une lâcheté, puisque c'est un sacrifice énorme, et que là-bas je serai malheureuse, mais je ne peux pas demander aux autres gens de penser comme moi. Pour les autres gens, c'est une lâcheté.

[...]

Samedi

Dannecker[1] a ordonné l'évacuation de l'hôpital Rothschild. Tous les malades, les opérés d'hier, ont été envoyés à Drancy. Dans quel état ? Avec quels soins ? C'est atroce.

Job et Breynaert sont venus. Job ne veut rien entendre pour partir. Nous avons joué le *Quintette de la Truite*, très joli.

[...]

Lundi 5 juillet

Ce matin est arrivée la deuxième carte de Papa. Il décrit sa vie, une de ses journées. Elles sont lamentablement vides. Le matin, réveil, et il met à côté un point d'interrogation parce qu'il ne doit pas beaucoup dormir,

1. Le SS Theodor Dannecker est, jusqu'en juillet 1942, le chef du service des Affaires juives de la Gestapo en France.

à sept heures. Appel à huit heures. (L'autre jour, un M. Muller qui était malade était resté couché pour une fois, dénoncé, et Dannecker lors de sa visite monte droit chez lui, le trouve couché, avec un pyjama trop beau, il le fait déporter, 58 ans.) De huit à dix heures, promenade, oscillation. Il y a des petits mots humoristiques que Papa emploie, mais qui dans ces circonstances sont déchirants. Plus loin, il parle des *potatoes* [pommes de terre]. Je l'entends encore prononcer le mot, à Aubergenville. C'est à la fois consolant, parce que cela nous fait sentir tout proches, et poignant. À onze heures et demie, soupe, et à dix-sept heures trente. Puis ils s'occupent du menu du déjeuner. L'après-midi est ce qu'il y a de plus long, parce qu'il ne veut pas faire de sieste pour garder son sommeil pour la nuit. Il joue aux dames, au Diamino, au bridge. Papa, qui ne jouait jamais à aucun jeu, qui pendant que Jean et les autres faisaient des parties de Diamino au petit salon à Auber, travaillait impassiblement à sa table. La soirée se passe à causer. Il donne des nouvelles de M. Basch, de Maurice, de Jean Bloch. Il raconte sa visite au dentiste, camarade de chambrée. Il faut s'habituer à dormir avec les ronflements et sans volets ; il était jusqu'ici aveuglé par le clair de lune. Il y a dans sa carte une chose qui m'a fait une peine immense, un petit détail. Il écrit : « On peut m'envoyer des groseilles. J'en ai vu dans les paquets arrivés ici. » Pourquoi cela me donne-t-il envie de m'enfuir à toutes jambes ? Il y a quelque chose d'enfantin dans cette phrase.

Et toutes les journées doivent passer ainsi. Il dit qu'il ne réalise pas qu'il y a déjà passé une semaine. Et moi, qui suis libre, qui cours à droite et à gauche comme je veux, qui ai quelque chose de différent à faire toutes les heures et tous les jours, qui n'ai même pas le temps de penser.

Cette écriture de Papa, faite pour rédiger des discours, des lettres d'affaires, ou des nouvelles de ses voyages, elle est toujours là, précise, propre, nette, intellectuelle, pour décrire une vie réduite, confinée, une vie de prisonnier de droit commun.

On ne réalise pas l'énormité de cette injustice, l'infamie de ces traitements, parce qu'elle est trop grande, parce que aussi nous sommes habitués à tout attendre.

Papa dit que M. Basch a le moral assez bas. Depuis six mois, il est enfermé là, six mois ; maintenant, tout espoir de voir finir cela a dû s'évanouir. Comment peut-on avoir envie de vivre encore ?

Papa vit pour nous. Il doit penser à nous nuit et jour. Pour moi, il est presque un inconnu. C'est étrange, et peut-être mal de dire cela. Mais Papa, ce Papa que Maman connaît, est très renfermé. Seulement, quelques phrases de ses cartes le laissent entrevoir. Quelque chose en moi, lorsque j'ai lu celle de ce matin, m'a dit qu'il existait entre nous deux un pacte indissoluble.

Mardi matin
6 juillet

[...]
Nous sommes allées, Denise, Nicole et moi, rue de Téhéran[1] nous faire inscrire à ce patronage. Nous avions tous le fou rire, mais c'était je crois une espèce de *exhilaration*, d'exaltation. M. Katz nous a dit : « Vous n'avez rien à faire ici ! Si j'ai un conseil à vous donner, partez. » À quoi j'ai répondu, avant même qu'il ait fini : « Nous ne voulons pas partir. » Il a dit alors : « En ce cas, il faut absolument vous occuper. »

1. Siège de l'UGIF, Union générale des israélites de France. Voir Michel Laffitte, *Juif dans la France allemande*, préf. d'Annette Wieviorka, Tallandier, 2006.

Nous sommes munies d'un certificat assez déplaisant[1]. Nicole ne cesse de rager, disant que c'est une concession aux Allemands. Je considère cela comme le prix à payer pour rester ici. C'est un sacrifice, car je déteste tous ces mouvements plus ou moins sionistes, qui font le jeu des Allemands sans s'en douter : et, de plus, cela va nous prendre beaucoup de temps. La vie est devenue bien étrange.

[...]

Jeudi 9 juillet

J'ai mal dormi cette nuit. Ce n'est pas étonnant après une telle soirée. J'étais allée passer la journée à Auber avec Nicole et Françoise. Nous avons cueilli des framboises et des groseilles dans le silence du jardin. C'était paisible, et reposant, bien que nous eussions emmené nos idées avec nous. Nous nous entendons parfaitement ; Françoise s'en va la semaine prochaine, et j'ai l'impression qu'elle ne reviendra pas. J'ai l'impression que l'irrévocable se produit, je ne sais pas si je reverrai aucune des personnes qui me quittent.

[...]

Vendredi 10 juillet

À la bibliothèque, je n'ai rien eu à faire. J'ai presque fini *La Paix des profondeurs*. C'est remarquable.

Nicole est venue me chercher.

---

1. Fondée par Vichy en novembre 1941 sur injonction de l'occupant, l'UGIF doit fédérer les œuvres juives d'assistance, à des fins de repérage. Armand Katz en est le secrétaire général pour la zone occupée. Hélène Berr se propose comme assistante sociale bénévole. Tous les membres de l'UGIF sont titulaires d'un certificat ou carte (dit « de légitimation » en zone nord), censé leur assurer une protection illusoire.

Mlle Detraux à déjeuner.

Nouvelle ordonnance aujourd'hui, pour le métro. D'ailleurs, ce matin, à l'École militaire, je me préparais à monter dans la première voiture lorsque j'ai brusquement réalisé que les paroles brutales du contrôleur s'adressaient à moi : « Vous là-bas, l'autre voiture. » J'ai couru comme une folle pour ne pas le manquer, et lorsque je me suis retrouvée dans l'avant-dernière voiture, des larmes jaillissaient de mes yeux, des larmes de rage, et de réaction contre cette brutalité.

Les juifs n'auront plus le droit non plus de traverser les Champs-Élysées. Théâtres et restaurants réservés[1]. La nouvelle est rédigée d'un ton naturel et hypocrite, comme si c'était un fait accompli qu'en France on persécutait les juifs, un fait acquis, reconnu comme une nécessité et un droit.

Lorsque j'y ai pensé, je bouillonnais tellement que je suis venue dans cette chambre me calmer.

[...]

Mercredi 15 juillet
23 heures

Quelque chose se prépare, quelque chose qui sera une tragédie, *la* tragédie peut-être.

M. Simon est arrivé ce soir à dix heures nous prévenir qu'on lui avait parlé d'une rafle pour après-demain, vingt mille personnes. J'ai appris à associer sa personne avec des catastrophes.

1. La neuvième ordonnance allemande du 9 juillet 1942 interdit aux juifs de fréquenter les établissements de spectacle, théâtres, cinémas, musées, mais aussi les bibliothèques, les stades, les piscines, les jardins publics, les restaurants, les salons de thé. Enfin, ils ne peuvent plus entrer dans les magasins ou les commerces qu'entre 15 et 16 heures.

Journée commencée avec la lecture de l'ordonnance nouvelle chez le cordonnier, terminée ainsi.

Il y a une vague de terreur qui saisit tous les autres gens depuis quelques jours. Il semble que ce soient les SS qui aient pris le commandement en France, et que la terreur doive s'ensuivre.

Tous nous désapprouvent de rester, silencieusement. Mais lorsque nous abordons la question nous-mêmes, cette désapprobation s'exprime hautement : hier, Mme Lyon-Caen ; aujourd'hui, Margot, Robert, M. Simon.

Samedi 18 juillet

Je reprends ce journal aujourd'hui. Je croyais jeudi que la vie serait arrêtée. Mais elle a continué. Elle a repris. Hier soir, après ma journée de bibliothèque, elle était redevenue si normale que je ne pouvais plus croire à ce qui s'était passé la veille. Depuis hier, elle a changé à nouveau. Quand je suis rentrée tout à l'heure, Maman nous a annoncé qu'il y avait beaucoup d'espoir pour Papa. D'un côté, il y a le retour de Papa. De l'autre, ce départ pour la zone libre[1]. Chaque chose porte en elle une épreuve. Le départ, cela m'a fait une impression presque de désespoir, je n'arrive pas à m'expliquer pourquoi. Je rentrais tendue pour la lutte, unie avec les bons contre les mauvais, j'étais allée chez Mme Biéder, cette malheureuse mère de huit enfants dont le mari est déporté ; elle habite le faubourg Saint-Denis. Nous sommes restées, Denise et moi, un quart d'heure chez elle ; en sortant, j'étais presque contente de m'être enfoncée dans la vraie souffrance. Je sentais bien que j'étais coupable, qu'il

1. Le frère d'Hélène, Jacques, et sa sœur Yvonne Schwartz, dont le mari a été nommé en zone libre, se trouvent déjà au sud de la ligne de démarcation.

y avait quelque chose que je ne *voyais* pas, c'était cette réalité. Cette femme, sa sœur qui a quatre enfants, a été emmenée. Le soir de la rafle, elle s'était cachée, mais le malheur a voulu qu'elle redescende chez la concierge au moment où l'agent venait la chercher. Mme Biéder est comme une bête traquée. Ce n'est pas pour elle qu'elle craint. Mais elle a peur qu'on lui enlève ses enfants. On a emmené des enfants qui se traînaient par terre. À Montmartre, il y a eu tellement d'arrestations que les rues étaient bloquées. Le faubourg Saint-Denis est presque vidé. On a séparé les mères des enfants[1].

Je note les faits, hâtivement, pour ne pas les oublier, parce qu'il ne *faut pas* oublier.

Dans le quartier de Mlle Monsaingeon, une famille entière, père, mère et cinq enfants se sont suicidés au gaz pour échapper à la rafle.

Une femme s'est jetée par la fenêtre.

Plusieurs agents ont été, paraît-il, fusillés pour avoir prévenu les gens de s'enfuir. On les a menacés de camp de concentration s'ils n'obéissaient pas. Qui va nourrir les internés de Drancy, maintenant que leurs femmes sont arrêtées ? Les petits ne retrouveront jamais leurs parents. Quelles sont les conséquences lointaines de cette chose arrivée avant-hier soir, au petit jour ?

La cousine de Margot, partie la semaine dernière, et dont nous savions qu'elle avait échoué dans sa tentative, a été prise à la ligne [de démarcation], jetée en prison ;

1. En deux jours, les 16 et 17 juillet 1942, 12 884 personnes sont arrêtées par la police française : 3 031 hommes, 5 802 femmes, 4 051 enfants. Les célibataires ou les couples sans enfants sont conduits à Drancy, les familles au Vélodrome d'Hiver, dans le quinzième arrondissement.

après que l'on eut interrogé son fils de 11 ans pendant des heures pour obtenir l'aveu qu'elle était juive ; elle a le diabète, au bout de quatre jours elle est morte. C'est fini. Lorsqu'elle était dans le coma, la sœur de la prison l'a fait transporter à l'hôpital, il était trop tard.

Dans le métro, j'ai rencontré Mme Baur, toujours superbe. Mais elle était très abattue. Elle ne m'a pas reconnue tout de suite. Elle avait l'air étonnée que nous soyons là. J'ai toujours envie d'être fière lorsque je réponds à cela. Elle m'a dit que nous aurions beaucoup à faire rue de Téhéran. Elle ne m'a pas caché non plus que le tour des Françaises allait venir. Lorsqu'elle m'a parlé d'Odile, il m'a semblé que c'était infiniment loin.

Mais s'il faut partir, partir et quitter la lutte, l'héroïsme pour trouver la platitude, l'affalement. Non, je ferai quelque chose.

Le peuple est admirable. Il paraît qu'il y avait beaucoup de petites ouvrières qui vivaient avec des israélites. Elles viennent toutes demander à se marier, pour éviter à leurs maris la déportation.

Et puis il y a la sympathie des gens dans la rue, dans le métro. Il y a le bon regard des hommes et des femmes, qui vous remplit le cœur d'un sentiment inexprimable. Il y a la conscience d'être supérieur aux brutes qui vous font souffrir, et d'être unis avec les vrais hommes et les vraies femmes. Plus les malheurs s'amassent, plus ce lien s'approfondit. Il n'est plus question de distinctions superficielles de race, de religion, ni de rang social – je n'y ai jamais cru –, il y a l'union contre le mal, et la communion dans la souffrance.

Je veux rester encore, pour connaître à fond ce qui s'est passé cette semaine, je le veux, pour pouvoir prêcher et secouer les indifférents.

En disant cela, je pense au *Brand* d'Ibsen, que j'ai commencé hier soir. Et en pensant cela, je suis ramenée à J. M. qui me l'a prêté.

Je sais aussi, et je n'essaie pas de me le cacher, que c'est à cause de lui que je ne veux pas partir. Je sais que je n'ai pas envie de revoir Gérard. Cette semaine, je n'ai pensé qu'à une chose, c'était à le revoir. Je l'avais vu lundi ; jeudi matin, il m'a écrit une lettre pour me donner le résultat de sa commission pour Papa[1]. Je lui ai répondu immédiatement. Au moment où je fermais la lettre, Denise est remontée de chez la crémière et elle m'a dit, haletante : « Ça y est, ils ont raflé toutes les femmes et les enfants, ne le dis pas à Maman », mais je raconterai tout cela en détail – j'ai rajouté un P.-S. à ma lettre pour dire cela. Je me demandais si ce serait comme *Le Dernier Jour d'un condamné à mort*, de Hugo. Il y avait quelque chose d'exaltant à ce sentiment ; car je ne réalisais pas tout à fait ce que voulait dire l'hypothèse de la catastrophe.

Et puis hier, après toute cette interminable journée de jeudi, et cette matinée gâchée d'hier, je suis allée à l'Institut. Je ne savais pas s'il viendrait. Par moments, je me disais que j'avais le pressentiment qu'il ne viendrait pas. Et je devenais maussade. J'ai réalisé que cette bibliothèque, c'était lui. Heureusement, Monique Ducret était là, réconfortante. Au début, j'étais encore *in a haze* [dans le brouillard], abrutie par ma nuit étrange, et mal adaptée au normal. Peu à peu, l'atmosphère calme et familière m'a envahie. Vers quatre heures, J. M. n'était pas là. À un moment, Mondoloni est entré ; et je ne sais

---

1. Une des amies de Jean Morawiecki, Tamara Isserlis, a été arrêtée parce qu'elle avait, bien que juive, refusé de monter dans le dernier wagon du métro. Jean Morawiecki cherche à savoir si elle a été internée à Drancy. Elle a été déportée à Auschwitz le 22 juin 1942.

pas pourquoi, j'ai eu de l'espoir. Il y avait quelqu'un qui me bouchait le passage, mais en me retournant, j'ai reconnu de dos son caoutchouc [imperméable] et ses cheveux. Brusquement, j'étais calmée. Nous sommes restés longtemps sans nous parler. J'étais occupée et lui aussi. Et je suis toujours très intimidée, parce que je l'ai attendu. Il m'a semblé que tout le cauchemar d'hier se dissipait. S'il n'était pas venu, je ne sais pas ce que je serais devenue.

Je n'ai aucune honte à écrire tout cela. Je le fais parce que c'est la vérité ; je ne me monte pas la tête. C'est probablement une habitude que j'ai prise de le voir, et comme les journées que je passe avec lui sont les seules belles choses de la vie, je ne veux pas m'en passer. Mardi, j'ai été complètement divisée et torturée, après lundi, et pendant et après la visite rue de Longchamp. Mercredi matin, je ne pensais qu'à revoir J. M. Je ne luttai pas pour éprouver la solidité de cette idée.

8 heures du soir

Nouvelle ordonnance, la neuvième : interdiction d'entrer dans les magasins, sauf entre trois et quatre heures (heure à laquelle toutes les boutiques sont fermées).

Maman vient de téléphoner à Mme Katz. Il y a un départ en masse de Drancy demain matin ; pour nous rassurer : aucun ancien combattant français[1], seulement des étrangers (combattants inclus), et des femmes. On leur envoie des malheureux enfants de partout, de Belfort, de Montceau-les-Mines.

Françoise, qui est venue ce soir, nous a dit qu'au Vél d'Hiv, où on a enfermé des milliers de femmes et

1. Le gouvernement de Vichy s'oppose en principe à la déportation des anciens combattants français, comme à celle des femmes de prisonniers de guerre.

d'enfants, il y a des femmes qui accouchent, des enfants qui hurlent, tout cela couchés par terre, gardés par les Allemands[1].

Nous avons fait de la musique comme d'habitude. Cela semble incroyable de voir François encore là. Il rit tout le temps et prend tout à la blague. Au fond, il est tout à fait conscient. Mais ce courage a quelque chose de fou et de tragique. Nous sommes sur une corde raide qui se tend chaque heure un peu plus.

[...]

Dimanche soir, 19 juillet

Autres détails.

Une femme devenue folle a jeté ses quatre enfants par la fenêtre. Les agents opéraient six par six, avec des torches électriques.

M. Boucher a donné des nouvelles du Vél d'Hiv. Douze mille personnes y sont enfermées, c'est l'enfer. Beaucoup de décès déjà, les installations sanitaires bouchées, etc.

Nouvelles de Papa hier soir.

Depuis deux jours enfermés dans leur 1,50 m^2. Vu des scènes atroces. Eugène B. couché misérablement avec rhumatisme général.

[...]

Les amitiés qui se sont nouées ici cette année seront empreintes d'une sincérité, d'une profondeur et d'une espèce de tendresse grave que personne ne pourra jamais connaître. C'est un pacte secret, scellé dans la lutte et les épreuves.

[...]

1. Au Vél d'Hiv, les déportés sont surveillés, non comme le croit Hélène Berr par les Allemands, mais par la police française.

Autres détails obtenus d'Isabelle : quinze mille hommes, femmes et enfants au Vél d'Hiv, accroupis tellement ils sont serrés, on marche dessus. Pas une goutte d'eau, les Allemands ont coupé l'eau et le gaz. On marche dans une mare visqueuse et gluante. Il y a là des malades arrachés à l'hôpital, des tuberculeux avec la pancarte « contagieux » autour du cou. Les femmes accouchent là. Aucun soin. Pas un médicament, pas un pansement. On n'y pénètre qu'au prix de mille démarches. D'ailleurs, les secours cessent demain. On va probablement tous les déporter.

Mme Carpentier a vu jeudi à Drancy deux trains de marchandises[1] où l'on avait entassé, comme des bestiaux, sans même de paille, des femmes et des hommes pour les déporter.

[...]

Jeudi 23 juillet

J'ai travaillé de deux heures à cinq heures trente hier, et de neuf à douze heures ce matin, rue de la Bienfaisance. De la paperasserie. Mais je suis presque heureuse de me plonger dans cette atroce réalité. Hier soir, en arrivant chez Nicole, et en racontant ce que j'avais entendu, j'étais *flop* [sonnée] ; on parle de déportation comme d'une chose banale là-bas. D'après ce que j'ai cru comprendre, il y a à Drancy des femmes et des enfants. Tous les jours il en part, déportés. Le Vél d'Hiv a été vidé et tout le monde envoyé à Beaune-la-Rolande.

Ces femmes qui travaillent là sont admirables. Mme Horwilleur, Mme Katz et les autres. Elles sont érein-

---

1. Les trains ne partent pas directement de Drancy, mais de la gare du Bourget, puis, à partir de juillet 1943, de celle de Bobigny. Les déportés y sont emmenés en autobus.

tées, mais elles tiennent bon. Toute la journée, c'est un défilé ininterrompu de femmes qui ont perdu leurs enfants, d'hommes qui ont perdu leurs femmes, d'enfants qui ont perdu leurs parents, de personnes qui viennent demander des nouvelles d'enfants et de femmes, d'autres qui viennent proposer d'en recueillir. Des femmes pleurent. Une s'est évanouie hier. Je ne vois pas tout cela parce que je suis dans la salle à côté. Mais j'en saisis des bribes.

Hier soir, il est arrivé un train entier d'enfants de Bordeaux et de Belfort ; des trains, comme pour des colonies de vacances, mais c'est horrible.

Il y a à Drancy des femmes en chemise de nuit.

Une petite fille est venue dire que l'on avait emmené son père et sa mère, elle n'avait plus personne.

À côté de moi, Françoise Bernheim téléphone tout le temps à des hôpitaux prendre des nouvelles d'enfants dont les parents et les frères et sœurs ont été arrêtés.

En sortant de la rue de la Bienfaisance, je suis allée voir Mme Baur, elle est charmante et pleine de jeunesse.

[...]

Dimanche 26 juillet, soir

La vie est extraordinaire. Ceci n'est pas un aphorisme. Ce soir, je me sens exaltée. J'ai l'impression de vivre dans une atmosphère de roman, je ne peux pas expliquer. C'est un peu comme si j'avais des ailes. Hier, nous étions allées chez J. M., Denise et moi, à Saint-Cloud. Nous avions passé un après-midi merveilleux, dans la bibliothèque, les fenêtres ouvertes sur le jardin bourdonnant de soleil et pourtant infiniment calme, à écouter des disques. Denise a joué. Il y avait là Molinié et un autre garçon très gentil.

Après le dîner, à neuf heures, J. M. a téléphoné pour dire qu'il ne viendrait pas aujourd'hui, ses parents ont dû lui faire une scène, je ne sais pourquoi.

J'ai été tellement déçue, plus que cela, j'ai eu plus de peine que je n'en ai jamais eu pour un sujet pareil. Je n'ai pas dormi cette nuit. Mon chagrin était spontané et irrésistible. Je pensais que la journée serait gâchée. J'avais décidé que je serais triste.

Mais grâce à Jean Pineau, elle a été splendide, sans que rien soit changé. Il me fait sortir de moi-même, tellement il est délicat et chevaleresque. Après le goûter, sur les marches du perron, nous avons eu une grande conversation. Je me suis laissée aller, sans même craindre que ce fût mal. Avec lui, tout est normal et facile. Et je ne suis ni embrouillée, ni divisée. Je suis enchantée. Il y a quelque chose d'enchanté dans ma vie actuellement. J'en suis reconnaissante de tout mon cœur.

[…]

Lundi soir, 3 août

Je ne sais vraiment pas ce que je suis devenue, mais je suis changée de fond en comble. Je vis dans un étrange mélange de souvenirs d'hier et d'aujourd'hui. Depuis vendredi, il n'y a eu ni jours ni nuits, la nuit je n'ai pas dormi ; ou plutôt, depuis trois nuits, je me réveille après le premier sommeil, je pense à lui, et je ne peux plus me rendormir. Je ne suis pas fatiguée, je suis même très heureuse pendant ces nuits étranges.

Quand je l'ai revu cet après-midi, il m'a demandé si j'avais bien dormi ; j'ai répondu : « Non, très mal, et vous ? » – je savais d'avance que lui aussi. Il me semblait que nous ne nous étions pas quittés et qu'il le savait aussi. Tout paraissait naturel. Il m'a dit qu'il avait rêvé de moi en Eustacia. Eustacia, Egdon Heath, le plateau éventé hier à Aubergenville, le ciel noir aujourd'hui au-dessus de la coupole de l'Institut, les rues mouillées et luisantes, et tout le temps mon bonheur sûr, constant, magnifique ; j'ai presque l'impression d'avoir des ailes. Je ne pense même pas à lui en tant que personne distincte. Il est devenu une idée vague, la cause de mon bonheur.

Hier, à Aubergenville, cela a été la plus belle journée de ma vie. Elle a passé comme un rêve. Mais un rêve si heureux, si transparent, si pur et si *unmixed* [sans mélange] que je n'ai pas connu le regret, ni même la crainte de le voir s'évanouir.

[…]

Samedi 15 août

Seconde journée à Aubergenville.

J'avais peur qu'en la répétant, tout fût gâché, j'avais peur aussi qu'après ce qui s'était passé, seulement lundi dernier, le miracle de l'autre fois ne se reproduise pas.

Nous sommes parties avec Mme Lévy par un temps radieux. Jusqu'à la gare, j'ai eu *peur*. Une appréhension qui me serrait brusquement la gorge et faisait battre mon cœur.

Nous sommes restés debout pendant tout le voyage. Peu à peu cette horrible timidité a disparu.

En arrivant, nous avons commencé par éplucher les pommes de terre, puis je suis allée avec J. M. cueillir des fruits dans le verger là-haut. Lorsque j'y repense, j'ai l'impression d'un enchantement. L'herbe inondée de rosée, le ciel bleu et le soleil qui faisait étinceler les gouttes de rosée, et la joie qui m'inondait. Le verger a toujours produit cette impression sur moi. Mais, ce matin-là, j'étais complètement heureuse.

Après le déjeuner, nous sommes allés nous promener sur le plateau, vers Bazemont.

Mais, tout l'après-midi, j'ai été obsédée par l'heure, par l'impression que cela allait finir. Je lui ai fait visiter la maison juste avant de partir.

Le voyage de retour a été merveilleux. À la gare, il m'a demandé très vite s'il me revoyait lundi ; prise de court, j'ai accepté. Cela me donnait d'ailleurs un point lumineux très proche, après-demain.

[...]

Vendredi 21 août

Rue de la Bienfaisance. J'ai aidé Suzanne à recevoir les gens. C'est lamentable, presque tous se sont fait prendre à la ligne. Cela, c'est la déportation immédiate. Quelle somme de souffrances pour chacune de ces personnes. Et lorsqu'on déballait les paquets renvoyés, et qu'ils voyaient les bagues, ou les montres de leur mère ou de leur père, c'était déchirant.

Tous les enfants de Beaune ont été ramenés à Drancy pour être probablement déportés. Ils jouent dans la cour, répugnants, couverts de plaies et de poux. Pauvres petits.

[...]

Dimanche 30 août

Mon beau dimanche. Cela me fait penser à *Un beau dimanche anglais* de Kipling.

J'aspirais à cette journée à Aubergenville, depuis quinze jours.

Il y avait Jean Pineau, Job et Lancelot of the Lake[1]. Le miracle s'est reproduit. Pourquoi cesserait-il ? Dans le

---

1. Quand Jean Morawiecki pense à Hélène, c'est à un lys blanc, fleur de clarté, symbole de l'élégance et de la pureté. De son côté à elle, en référence à Lancelot qui, blessé, se réfugie dans le château d'Astolat et se fait soigner par Elaine, elle l'appelle « Lancelot of the Lake ».

verger lumineux, là-haut, après le déjeuner sur le plateau dans le vent, et le retour dans le train.

Mais en rentrant, il y a eu lutte entre les souvenirs enchantés dont j'étais envahie, et la tristesse de la lettre de Papa, de nouveau complètement démoralisé.
[...]

Dimanche 6 septembre

Aubergenville.
Job, cueillette de mûres.
Il y a un homme qui s'est suicidé dans la chambre voisine de Papa.
[...]

Vendredi matin
11 septembre

[...]
Après avoir erré tout l'après-midi (boulevard Saint-Germain, à la Sorbonne, cité Condorcet), je suis allée au Temple pour Rosch-Haschana[1]. Le service était célébré à l'oratoire et salle des Mariages, le Temple ayant été détruit par les doriotistes[2]. C'était lamentable. Pas un jeune. Rien que des vieux, le seul représentant de l'« autrefois », c'était Mme Baur.

1. Nouvel an juif.
2. En octobre 1941, encouragés par les Allemands, les doriotistes, partisans de Jacques Doriot, ultra de la collaboration, ont commis plusieurs attentats contre des synagogues parisiennes.

Nicole et moi sommes allées à Aubergenville avec Jean-Paul et J. M. Au moment de partir, ma joie faillit être gâchée par l'inquiétude de Maman.

Nous avons fait le voyage debout. Il faisait un temps merveilleux. Si nous étions allés nous promener en arrivant, nous aurions vu la brume se lever de la terre.

Nous nous sommes promenés après le déjeuner (un déjeuner avec foie gras et Chartreuse et cigarettes américaines).

Il y a eu un magnifique orage et je suis rentrée trempée.

Je ne peux plus écrire ce journal parce que je ne m'appartiens plus entièrement. Alors, je note simplement les faits extérieurs, juste pour me rappeler.

[…]

Lundi 14 septembre

C'est lorsque je ne prévois pas les choses qu'elles sont les plus belles. Toute ma vie, je me souviendrai de cet après-midi, si rempli. Je suis allée avec lui à Saint-Séverin, puis nous avons erré sur les quais, nous nous sommes assis dans le petit jardin qui est derrière Notre-Dame. Il y avait une paix infinie.

Mais nous avons été chassés par le gardien, à cause de mon étoile. Comme j'étais avec lui, je n'ai pas réalisé cette blessure et nous avons continué à marcher sur les quais.

À la fin, l'orage qui menaçait a éclaté. C'est de cet orage que je me souviendrai, du bruit des cataractes de pluie qui déferlaient des marches des Tuileries, du ciel sombre, et des éclairs roses, je serais restée des siècles ainsi.

[…]

[…]

Le Dr Charles Mayer a été arrêté parce qu'il portait son étoile trop haut… Une de ces dames s'est exclamée : « Cela prouve vraiment leur mauvaise foi !!! » Croire qu'ils vont respecter les lois qu'ils ont instituées, alors que du début à la fin ces lois sont illégales et l'œuvre de leur caprice, ces lois sont simplement un prétexte pour arrêter, c'est leur seul but, leur but n'est pas une législation ou une réglementation.

[…]

Dimanche 20 septembre
6 heures du soir

Je me surprends à souhaiter que cette journée soit finie et que le temps passe ; et brusquement, je m'aperçois qu'il n'y a *rien* à espérer et tout à redouter de l'avenir, de la journée qui va suivre.

Par moments, ma conscience du malheur imminent s'atténue. À d'autres, elle est aiguë.

M. R. a décrit à Denise comment cela se passait pour une déportation. On les rase tous, on les parque entre les barbelés, et on les entasse dans les wagons à bestiaux, sans paille, plombés.

[…]

Ce matin, je suis partie à neuf heures trente chercher Françoise Pineau, pour aller avec elle chez Mme Cohn chercher la lettre. Nous avons marché par la rue de Sèvres.

Je suis remontée ici, puis redescendue mettre une carte de Maman à Jacques à la poste. Là-bas, j'ai rencontré Denise, j'ai vu qu'elle avait pleuré, parce qu'elle avait lu le mot de Papa (la lettre de Mme R.). M. Geisman a dit que *tous* allaient partir.

Je n'ai pas bien pu lire le mot de Papa, car Maman sanglotait si fort que je ne pouvais fixer mon attention. Je ne peux pas pleurer pour le moment. Mais si le malheur doit arriver, j'aurai assez de chagrin, un chagrin permanent.

C'était un adieu, c'est une déchirure avec tout ce qui a rendu notre vie heureuse.

Hier matin, en me levant, j'avais constaté que jamais je ne m'étais sentie aussi bien, j'étais surprise de cette sensation.

Mais tout a changé brusquement. Cela ne pouvait être qu'une illusion. J. M. devait venir l'après-midi – sur cet après-midi a pesé une oppression inexprimable. Mais je m'en serais voulue si j'avais été heureuse. Les minutes passaient et je les voyais fuir. M. Olléon est venu et est resté trois quarts d'heure. En plus, il y avait une espèce de barrière entre nous, pas même dissipée au goûter à deux sur la table avec la nappe bleue. Il n'y avait rien à faire. Mais cela n'a pas d'importance, je n'ai pas le droit d'être contente.

Demain, c'est Kippour. Aujourd'hui, nous sommes vidées comme si nous avions jeûné.

[...]

Mardi soir, 22 septembre

Papa est là, dans la maison. Il va y avoir six heures qu'il est là, il va coucher là. Nous allons passer la soirée avec lui. Il est là, il marche de long en large dans le salon, l'air absent. Mais il a si peu changé physiquement, que c'est un réconfort de le regarder.

Lorsqu'il est arrivé, j'ai eu l'impression que les deux fragments de vie se raboutaient brusquement, exactement, et que tout le reste n'existait pas. Dieu soit loué, cette impression n'a pas duré, car elle me donnait un malaise étrange, car je ne veux pas oublier. Elle n'a pas duré parce que je sais ce que Papa a vu, parce que je suis plongée dans la souffrance des autres, parce que personne ne peut oublier ce qui s'est passé et ce qui va se passer cette nuit et demain.

Tout à l'heure, Mme Jean Bloch était là : nous n'avons pas voulu lui dire, son mari et M. Basch, et les trois cents qui ne sont pas partis de Pithiviers dimanche sont arrivés à Drancy ce matin pour repartir dans le convoi de demain, ils étaient dans les barbelés ce matin. Elle va devenir folle. Elle parle d'une voix machinale, monotone. Je sais par expérience (je l'écris ici, personne ne le verra) ce que son état nerveux peut être, seulement elle ira jusqu'à la folie. On a la sensation en l'écoutant du malheur irrémédiable, sans fond, sans nom, sans consolation. Je sens que, pour elle, nous ne vivons plus, nous ne sommes que des fantômes dans son monde, que nous sommes séparés par une barrière immense. Lorsqu'elle est repartie, j'ai su qu'elle repartait avec son fardeau de douleur glacée, morne, un désespoir où il n'y a plus une lueur, plus une trace de lutte.

[…]

Mercredi soir
23 septembre

Nous sommes tous obsédés par le départ de ce matin. Basch et Jean Bloch sont partis, c'est fini.

Cette déportation a quelque chose de bien plus horrible que la première, c'est la fin d'un monde. Que de trous autour de nous !

J'ai failli perdre mon équilibre aujourd'hui, je me sentais sombrer, arriver au moment où je ne me contrôle plus ; je commence à connaître cette impression. Mais ce n'est pas le moment de m'y laisser aller. Cela m'a pris en revenant de chez André Baur, où nous avions emmené Papa. Il est très pessimiste. Je suis allée ensuite chez Mme Favart et à la Maison du Prisonnier. Rentrée ici, j'ai trouvé l'envoyé de Decourt, qui a failli me rendre folle ; il m'a fait discuter sur l'avenir, alors que j'étais dans un état anormal. Tout ce dont il me parlait, ce qu'il me demandait semblait venir d'un autre monde où je ne rentrerai plus. Il y a une espèce de glas qui sonne en moi, lorsque j'entends parler de livres, de professeurs à la Sorbonne.

[…]

Samedi 3 octobre

Nicole et moi avions chacune quatre enfants à prome-ner dans Paris de neuf heures à onze heures. Mon trajet était Palais-Royal-rue Claude-Bernard. Je leur ai montré le Louvre sur toutes ses façades. Je m'enthousiasmais moi-même. Du pont des Arts, j'ai regardé le soleil per-cer la brume grise, comme une promesse de joie.

[…]

Lundi 5 octobre

J'ai repris mes fonctions de bibliothécaire. Je croyais ne jamais le faire. Cela m'a rendu mon équilibre.

Tout comme il y a trois mois, je me suis mise à espé-rer la venue de J. M. Je ne me rappelais même plus ce qui s'était passé entre nous. Lorsque je me le rappelais, j'avais comme une impression de triomphe. À partir de trois heures, j'ai commencé à avoir peur, et à être très déçue. Mais à quatre heures moins le quart, il est entré, et la joie et le calme m'ont envahie. Je regardais tous les autres étudiants pour voir s'ils savaient. Mais personne ne sait et c'est ce qui est merveilleux.

Après, je l'ai raccompagné jusqu'à la gare Saint-Lazare, par les grands boulevards. Il faisait sombre, et les rues étaient pleines de monde. Un bain de vapeur nous enveloppait. Au couchant, il y avait des lueurs jaunes et livides. Souvenir étrange : ces boulevards surpeuplés, le ciel si bas et si gris.

Il m'a donné les disques de *La Vie et l'Amour d'une femme*.

[...]

Jeudi 15 octobre

Je ne parviens pas à récapituler ce début de semaine. Je n'ai pas eu conscience des jours. Cela n'a été qu'une succession d'attentes. Dimanche soir, je pensais avoir encore deux longues journées à attendre. Nous devions aller à Aubergenville mercredi. Tous les deux, seuls. Maman n'avait pas objecté, si bien que je ne croyais pas qu'elle eût complètement réalisé.

Mais lundi après-midi, alors que subitement ma fonction de bibliothécaire m'était apparue lourde, ennuyeuse et longue, il est venu. Il ne devait pas venir, passant son examen de droit le lendemain. J'étais inondée de joie. Pendant un long moment, nous n'avons pu nous parler. Un instant, pendant que j'étais à la bibliothèque, il est monté sans bruit. Après, il s'est assis devant la table. Puis il est venu à la fin, ranger les livres avec moi. Jamais la bibliothèque n'a fermé aussi tard. J'avais perdu la notion du temps, entre les rayons sombres de la bibliothèque.

Lorsque je suis rentrée, Louise m'a appris que M. Lévy était rentré. Pour la première fois, j'ai connu quelques instants de joie complète et pure.

Mardi, je suis allée le chercher après son examen ; pendant une heure, je me suis assise dans la cour de l'Institut pour passer le temps. Elle était solitaire et triste. Heureusement, vers cinq heures, j'ai rencontré une camarade. Cela m'a rendu du courage. Je l'ai rencontré rue de l'Odéon. Il perdait son temps depuis une heure aussi ! Nous avons marché, le soleil couchant dorait tout le vieux Paris. C'était une très belle soirée d'octobre. Nous nous sommes accoudés sur le quai près du pont des Arts. Tout frémissait, les feuilles des peupliers, et même l'air. Lorsque je suis rentrée seule, le cours la Reine était sombre, la nuit s'y était déjà logée alors que le ciel était tout rose.

La nuit de mardi à mercredi a été interminable.

La journée de mercredi a été merveilleuse. Ce soir, je ne me retrouve plus, ce matin j'étais encore quelque chose de nouveau, et j'espérais que je le resterais. Mais je suis redevenue l'ancienne Hélène. Pour moi, l'absence est une malédiction.

[...]

Mardi 20 octobre

J'avais rendez-vous à la Faculté de droit pour aller voir son résultat. Mais il s'était trompé de jour. Il en était vexé, et il y avait quelque chose dans son *mind* [humeur] qui a gâché la journée. Nous sommes allés sur les berges de la Seine près du pont des Arts, à côté de deux pêcheurs. Après, je l'ai accompagné avenue de l'Opéra chez son tailleur, et ensuite à la gare. Dans la foule à la gare, j'ai eu brusquement peur de le perdre. À ce moment, il m'a pris le bras. Je ne pouvais pas lui expliquer pourquoi j'étais si reconnaissante de ce simple geste.

[...]

Et brusquement, tout s'est déchiré. Il parle tellement de son départ[1], que je suis arrivée à le redouter. Tant que j'étais avec lui, puisqu'il y croyait, je le croyais aussi. Il m'a dit : « C'est peut-être la dernière fois que nous nous voyons. » Et bien que je fusse persuadée que dès que je serais seule, je ne comprendrais plus, j'y croyais. Il pleuvait à torrents, et nous avons passé une heure dans un couloir de la Sorbonne. Il était de mauvaise humeur et parlait à peine. Nous nous sommes quittés dans le métro, à la station Ségur. Je suis rentrée ici, où j'ai joué avec Simon à un puzzle.

[…]

Dimanche 8 novembre

Étrange journée, je n'y comprends rien.

Hier, cela a été merveilleux. Même la pensée de son départ, sûr pour jeudi, n'a pu obscurcir la journée. J'étais allée à la gare le chercher et nous sommes rentrés à pied par les Champs-Élysées. J'avais mis mon manteau de fourrure pour la première fois.

Job est venu vers cinq heures, il avait trop bu et était tout drôle. Cette nuit, j'ai rêvé de J. M. tout le temps. L'idée de son départ a fini par me réveiller complètement.

Je suis partie rue Vauquelin par un temps radieux, un soleil doré, fragile, un ciel intensément bleu et une atmosphère de cristal. Ce soleil, qui, à l'heure où j'écris, est brûlant, contribue à l'étrangeté de la journée.

1. Jean Morawiecki est décidé à rejoindre la France libre. Il parviendra à quitter la France pour l'Espagne. De là, il passera en Afrique du Nord et s'engagera dans les Forces françaises libres. Il participera au débarquement en Provence le 15 août 1944 et à l'occupation de l'Allemagne au printemps 1945.

L'autre chose qui la crée, ce sont les nouvelles. Tout le monde paraît en effervescence. Maman et Papa sont très excités. Je *devrais* l'être, et je n'y parviens pas. Mon manque d'enthousiasme ne provient pas d'un scepticisme exagéré, mais plutôt d'une incapacité à m'adapter à cette brusque fanfare de nouvelles. Il y a trop longtemps que je n'y suis plus habituée. Pourtant, c'est peut-être le commencement de la fin.

[…]

1943

Il y a dix mois que j'ai cessé ce journal, ce soir je le sors de mon tiroir pour le faire emporter en lieu sûr par Maman. De nouveau, on m'a fait dire de ne pas rester chez moi à la fin de la semaine.

Un an presque a passé, Drancy, les déportations, les souffrances existent toujours. Beaucoup d'événements se sont passés : Denise s'est mariée ; Jean est parti pour l'Espagne sans que j'aie pu le revoir ; toutes mes amies du bureau sont arrêtées, et il a fallu un hasard extraordinaire pour que je ne sois pas là ce jour-là ; Nicole est fiancée avec Jean-Paul ; Odile est venue ; un an déjà ! Les raisons d'espérer sont immenses. Mais je suis devenue très grave, et je ne peux pas oublier les souffrances. Que se sera-t-il passé lorsque je reprendrai ce journal ?

10 octobre

Je recommence ce journal ce soir, après un an d'interruption. Pourquoi ?

Aujourd'hui, en rentrant de chez Georges et Robert, j'ai été brusquement la proie d'une impression : qu'il fallait que j'écrive la réalité. Rien que ce retour depuis la rue Margueritte était un monde de faits et de pensées,

73

d'images et de réflexions. De quoi faire un livre. Et soudain, j'ai compris combien un livre au fond était banal, je veux dire ceci : qu'y a-t-il d'autre dans un livre que la réalité ? Ce qui manque aux hommes pour pouvoir écrire, c'est l'esprit d'observation et la largeur de vues. Sans cela, tout le monde pourrait écrire des livres ; je retrouve, plutôt je recherche ce soir cette citation de Keats, au début d'*Hypérion* :

> *Since every man whose soul is not a clod*
> *Hath visions, and would speak, if he had loved*
> *And been well nurtured in his mother-tongue*[1].

Et pourtant, il y a mille raisons qui m'empêchent d'écrire et qui me tiraillent encore à cette heure, et qui m'entraveront encore demain et les autres jours.

D'abord, une espèce de paresse qui sera dure à vaincre. Écrire, et écrire comme je le veux, c'est-à-dire avec une sincérité complète, en *ne pensant jamais* que d'autres liront, afin de ne pas fausser son attitude, écrire toute la réalité et les choses tragiques que nous vivons en leur donnant toute leur gravité nue sans déformer par les mots, c'est une tâche très difficile et qui exige un effort constant.

Il y a ensuite une répugnance très grande à se concevoir comme « quelqu'un qui écrit », parce que pour moi, peut-être à tort, écrire implique un dédoublement de la personnalité, sans doute une perte de spontanéité, une abdication (mais ces choses-là sont peut-être des préjugés).

---

1. « Car tout homme dont l'âme n'est pas de glaise / A des visions et parlerait, s'il avait aimé, / Et eût été bien nourri de sa langue maternelle. » John Keats, *La Chute d'Hypérion. Un rêve*, l. 13-15, 1819.

Puis il y a aussi l'orgueil. Et cela, je n'en veux pas. L'idée qu'on puisse écrire pour les autres, pour recevoir les éloges des autres, me fait horreur.

Peut-être aussi y a-t-il le sentiment que « les autres » ne vous comprennent pas à fond, qu'ils vous souillent, qu'ils vous mutilent, et qu'on se laisse avilir comme une marchandise.

Inutilité ?

Et par moments aussi, le sens de l'inutilité de tout cela me paralyse. Quelquefois, je doute, et je me dis que ce sens de l'inutilité n'est qu'une forme d'inertie et de paresse, car en face de tous ces raisonnements se dresse une grande raison qui, si je me convaincs de sa validité, deviendra décisive : j'ai un devoir à accomplir en écrivant, car il faut que les autres sachent. À chaque heure de la journée se répète la douloureuse expérience qui consiste à s'apercevoir que *les autres* ne savent pas, qu'ils n'imaginent même pas les souffrances d'autres hommes, et le mal que certains infligent à d'autres. Et toujours j'essaie de faire ce pénible effort de *raconter*. Parce que c'est un devoir, c'est peut-être le seul que je puisse remplir. Il y a des hommes qui savent et qui se ferment les yeux, ceux-là, je n'arriverai pas à les convaincre, parce qu'ils sont durs et égoïstes, et je n'ai pas d'autorité. Mais les autres, ceux qui ne savent pas, et qui ont peut-être assez de cœur pour comprendre, ceux-là, je dois agir sur eux.

Car comment guérira-t-on l'humanité autrement qu'en lui dévoilant d'abord toute sa pourriture, comment purifiera-t-on le monde autrement qu'en lui faisant comprendre l'étendue du mal qu'il commet ? Tout est une question de compréhension. C'est cette vérité-là qui m'angoisse et me tourmente. Ce n'est pas par la guerre que l'on vengera les souffrances : le sang appelle le sang, les hommes s'ancrent dans leur méchanceté et dans leur aveuglement. Si l'on arrivait à faire *comprendre* aux hommes mauvais le mal qu'ils font, si on arrivait à leur donner la vision impartiale et complète qui devrait être la gloire de l'être humain ! Je me suis trop souvent disputée avec ceux qui m'entourent à ce sujet, avec mes parents, qui ont sans doute plus d'expérience que moi. […]

Il faudrait donc que j'écrive pour pouvoir plus tard montrer aux hommes ce qu'a été cette époque. Je sais que beaucoup auront des leçons plus grandes à donner, et des faits plus terribles à dévoiler. Je pense à tous les déportés, à tous ceux qui gisent en prison, à tous ceux qui auront tenté la grande expérience du départ. Mais cela ne doit pas me faire commettre une lâcheté, chacun dans sa petite sphère peut faire quelque chose. Et s'il le peut, il le *doit*.

Seulement, je n'ai pas le temps d'écrire un livre. Je n'ai pas le temps, je n'ai pas le calme d'esprit nécessaire. Et je n'ai sans doute pas le recul qu'il faut. Tout ce que je peux faire, c'est de noter les faits ici, qui aideront plus tard ma mémoire si je veux raconter, ou si je veux écrire.

[…]

Mardi

J'ai emmené cinq petits à Lamarck, les plus jolis et les plus gentils. Si les gens qui m'aident dans le métro savaient ce que sont ces enfants, les petits dont les souvenirs de train se rapportent toujours au voyage qui les a amenés ou ramenés du camp, qui vous montrent un gendarme dans la rue en disant : « C'est un comme ça qui m'a ramené de Poitiers. » « Laissez venir à moi les petits enfants, a dit le Christ. »

À deux heures et quart, enterrement de Robert au cimetière Montparnasse. C'est la seconde fois en peu de temps que j'assiste à un enterrement là. La robe rouge était sur le cercueil[1]. Julien Weill[2] lisait la prière devant. La dernière fois que je l'ai vu, c'était au mariage de Denise. Quel tissu de joies et de malheurs la vie est devenue – je dis « est devenue », parce que je crois que l'éveil de la pensée à mon âge consiste presque entièrement en la découverte de cette indissolubilité, je pense aux « Maisons de Keats ».

Keats est le poète, l'écrivain, et l'être humain avec lequel je communique le plus immédiatement et le plus complètement. Je suis sûre que j'arriverais à le comprendre très bien.

Ce matin (mercredi), j'ai copié des phrases de Keats qui pourraient servir de sujet à des essais, à des pages où je mettrais tout de moi-même.

Hier soir, j'ai presque fini *Les Thibault*. Jacques me hante, c'est si triste, sa fin, et pourtant si inévitable. Ce livre est beau, car il a la beauté de la réalité, comme Shakespeare ; c'est à ce propos que je voudrais écrire sur la phrase de Keats : « L'excellence d'un art, c'est l'intensité. »

Jeudi 14 octobre

Emmené les petits et Anna se faire opérer des végétations à l'hôpital Rothschild. Je suis rentrée déjeuner à deux heures, ayant manqué François. Repartie à deux heures et demie, car j'avais reçu une lettre de Sparkenbroke me fixant un rendez-vous à l'Institut pour me rendre *Peacock Pie*.

Encore une fois, la Sorbonne reprend. Mais cette année, je retrouve avec plus de peine l'impression joyeuse

---

1. Robert Dreyfus, parent d'Hélène Berr, était magistrat.
2. Julien Weill, grand rabbin de Paris.

que j'éprouvais à voir rentrer les étudiants, à cesser la période des vacances où depuis deux étés la vie semble cesser autour de moi. Maintenant, je ne fais plus partie des étudiants qui travaillent.

J'ai parlé avec une nouvelle agrégée en attendant Spark qui était avec Cazamian. Je me suis un instant replongée dans ce royaume magique. Mais je ne suis plus mon « moi » complet dans ce royaume. Il me semble que je trahis l'autre, le nouveau.

[…]

Mardi matin, 19 octobre

[…]

Plus on a d'attachements, de personnes qui dépendent de vous parce qu'on les aime, ou simplement parce qu'on les connaît, plus la souffrance est multipliée. Souffrir pour soi n'est rien, jamais je n'émettrai une plainte à mon sujet, car toute souffrance personnelle, pour le moment, c'est une victoire à remporter sur moi. Mais quelle angoisse pour les autres, pour les proches, et pour les autres.

Je comprends le tourment de Maman, sa souffrance est décuplée, elle est multipliée par le nombre de vies qui dépendent d'elle.

« Une santé et une allégresse sans mélange ne peuvent être que le fait de l'égoïste. L'homme qui songe beaucoup à ses semblables ne peut jamais être joyeux. » Keats. *Lettre à Bailey.*

Lundi 25 octobre 1943

[…]

Je pense à l'histoire, à l'avenir. À *quand nous serons tous morts*. C'est si court la vie, et si précieux. Et maintenant, autour de moi, je la vois gaspillée à tort, criminellement ou inutilement, sur quoi se baser ? Tout perd son sens, lorsqu'on est à chaque instant confronté par la mort. Ce soir, j'y pensais, en passant devant l'hôtel de l'avenue de La Bourdonnais occupé. Je me disais : « Il suffirait qu'un homme jette une bombe là, pour que vingt personnes soient fusillées, vingt innocents à qui on enlèverait brusquement la vie, peut-être nous, une rafle dans le quartier, comme cela s'est fait à Neuilly… » Et cet homme n'y aurait pas pensé, parce qu'il ne pouvait pas y penser, parce que son esprit était obnubilé par la passion du moment, parce qu'on ne peut pas penser à tout.

J'ai peur de ne plus être là lorsque Jean reviendra. Ce n'est que depuis peu de temps. Il m'arrive encore d'imaginer son retour et de penser à l'avenir. Mais lorsque je suis en plein dans la réalité, lorsque je la perçois claire-ment, alors l'angoisse s'empare de moi.

Mais ce n'est pas de la *peur*, car je n'ai pas peur de ce qui pourrait m'arriver ; je crois que je l'accepterais, car j'ai accepté beaucoup de choses dures, et je n'ai pas un caractère qui se révolte devant l'épreuve. Mais je crains que mon beau rêve ne puisse se compléter, se réaliser. Je ne crains pas pour moi, mais pour cette belle chose qui aurait pu être.

Et quand j'y réfléchis, je vois bien que ce n'est pas une peur vague et irraisonnée, que ce n'est pas une « sophistication », une crainte qui ferait bien dans un roman. Il y a tant de dangers qui me guettent, l'étrange est que j'y ai échappé jusqu'à présent. Je pense à Fran-çoise, et j'ai toujours ce sentiment si vif qu'au moment de la rafle : pourquoi pas moi ?

C'est curieux : cette confirmation de ma crainte, qui lui donne une base, une raison, une force, au lieu d'aug-menter mon angoisse, la stabilise, lui ôte son caractère mystérieux et horrible et lui donne une certitude amère et triste.

[…]

Maintenant, je suis dans le désert.

Personne ne saura jamais ce que cet été et cet automne auront été pour moi. Personne ne le saura, parce que j'ai continué à vivre et à agir, mais il n'y a pas une de mes pensées profondes, une de mes pensées où je me sentais réellement moi, qui n'ait été une source de souffrance. Je n'ai pas encore souffert dans mon corps, et Dieu seul sait si cette épreuve m'attend. Mais dans mon âme, dans mes affections, et du point de vue général, j'ai vécu et je vis dans une peine perpétuelle.

Personne ne le saura, pas même ceux qui m'entourent, car je n'en parle pas, ni à Denise, ni à Nicole, ni à Maman même.

Il y a trop de choses dont on ne *peut* pas parler, ma souffrance dont Jean est le centre, rien ne pourra m'en faire parler, sans doute parce que je garde cela pour moi et que personne n'a le droit de s'en mêler, sans doute aussi par une sorte de timidité qui m'empêche souvent de m'en parler à moi-même. Je vais essayer d'expliquer mon sentiment : quelquefois, je me refuse à me mettre à cette nouvelle place à ce nouveau degré de ma vie, par manque de confiance en moi-même, par répugnance instinctive à *show off* [chercher à me faire remarquer], à me faire *plus* que je ne suis.

Et pourtant, ceci n'est qu'une partie de la vérité. La vérité est que je souffre depuis un an de l'absence de Jean, avec une constance et une intensité qui ne me laissent pas douter qu'au fond le changement que Jean a apporté en moi soit réel, et que je ne suis pas en train de poser, ou de sophistiquer mes sentiments.

J'ai bien peu de points d'appui solides. Extérieurement, je n'en ai aucun. Lorsque je pense à la réalisation pratique, je m'en détourne instinctivement. Avant, je le faisais parce que toute chose pratique me paraissait devoir abîmer mon rêve. Maintenant, je le fais parce que je le *sais*, parce que j'ai le souvenir précis et brûlant de l'avant-dernier entretien avec sa mère, où, à part la discussion religieuse à laquelle je m'attendais, et qui ne me fait pas peur, elle m'a fait un mal que je n'oublierai jamais en m'apprenant que j'étais allée l'avant-veille à Saint-Cloud en toute confiance, alors que son mari ne savait rien, et me considérait comme un « flirt » de Jean. Comme ce mot est douloureux ! Il a blessé en moi non pas mon orgueil, mais tout ce que je connaissais de moi-même et ce que je savais être peut-être la chose la plus digne en moi, ma pureté toujours maintenue grâce à un effort constant de sévérité vis-à-vis de moi-même. Peut-être, je le crois même sûrement, ne l'a-t-elle pas fait consciemment, surtout que jusque-là, elle m'avait parlé de façon à me faire croire qu'elle ne me considérait pas comme un simple…, je ne récrirai pas le mot. Je pense que cela lui a échappé, parce qu'à ce moment-là, elle a brusquement « réalisé », réalisé aussi les luttes qu'elle aurait à soutenir contre son mari. Mais alors, malgré toute mon impartialité, je suis obligée de reconnaître qu'elle manque de délicatesse, de ce sens qui vous fait deviner le retentissement de ce que l'on va dire dans l'âme des autres, du sens de « se mettre à la place des autres ». Elle est trop impulsive et peut-être volontaire, pour cela. D'ailleurs, j'en ai d'autres preuves : cette insistance qu'elle met à vouloir m'arracher, en l'absence de Jean, le consentement à ce que les enfants soient catholiques (et que je trouve déloyale, indépendamment de toutes mes convictions religieuses) prouve-t-elle autre chose que le peu de souci qu'elle a de l'individualité d'autrui ?

Je ne la crois certainement pas méchante, je crois même qu'elle m'aime dans une certaine mesure, mais je pense qu'elle manque d'un sens. Jamais je ne pourrai faire de prosélytisme, car je respecte trop la conscience d'autrui.

Donc, extérieurement, je n'ai guère d'appui. Du côté de Maman, ici, je ne sais pas. Jamais on n'en parle. Jamais Maman ou Papa ne parlent de Jean, ni de mon avenir. Sans doute parce que je n'en parle pas, sans doute parce qu'ils ne savent pas ce que je pense, sans doute est-ce mieux ainsi.

Intérieurement (dans le temple intérieur que ces quelques mois où il était là ont bâti), beaucoup de choses me manquent, je ne le connais que très peu. Et en plus, il y aura tout le nouveau que sa vie depuis aura apporté, et qui sera sûrement considérable et décisif. Mais il y a un domaine magique où lorsque je pénètre, je retrouve du soleil, et de la chaleur, c'est la pensée de notre ressemblance profonde, de notre communicabilité. Et dans ce domaine, je retrouve tous les souvenirs de ces trois mois de l'année dernière.

De l'autre partie de ma souffrance, le départ de Françoise, je ne peux pas parler non plus, car elle est d'une essence trop rare pour que je puisse la définir.

Et il reste encore une immense partie : la souffrance des autres gens, de ceux qui m'entourent, de ceux que je ne connais pas, la souffrance du monde en général. Celle-là, je ne peux pas en parler non plus, parce qu'on *ne me croirait pas*. On ne croirait pas qu'elle m'a hantée, et me hante à chaque heure, que je fais passer la souffrance des autres avant la mienne. Et pourtant qu'est-ce d'autre que cela qui creuse un fossé entre mes meilleurs amis et moi ? Qu'est-ce d'autre qui me cause ce terrible malaise, cette terrible division lorsque je parle avec un autre quel qu'il soit ? Ce malaise, cette impossibilité de communiquer entièrement, même avec mes camarades, même avec mes amis, n'est-il pas la rançon de ma conscience du malheur de ceux qui souffrent ?

Et Dieu sait si cette rançon me coûte, car du plus profond de moi-même, j'ai toujours aspiré à me donner entièrement aux autres gens – à mes camarades, à mes amis ! Et maintenant, je dois reconnaître que c'est impossible, parce que la vie a mis une barrière entre nous.

[...]

Est-ce que beaucoup de gens auront eu conscience à 22 ans qu'ils pouvaient brusquement perdre toutes les possibilités qu'ils sentaient en eux – et je n'éprouve aucune timidité à dire que j'en sens en moi d'immenses, puisque je les considère comme un don qui m'est fait, et pas comme une propriété –, que tout pourrait leur être ôté, et ne pas se révolter ?

Étrange contradiction.

Lorsque je raisonne dans le plan des autres gens, de ceux qui « peuvent » attendre la fin, des gens « normaux », je pense que la guerre cessera bientôt, et qu'il y a peut-être encore six mois à passer. Six mois, qu'est-ce, en regard de ce que nous avons passé ?

Mais, dans mon monde intérieur, tout me semble sombre, et je ne vois devant moi qu'angoisse ; j'ai constamment à l'esprit la pensée qu'une épreuve m'attend. Il me semble qu'un immense passage noir me sépare du moment où je serai à la lumière à nouveau, où Jean sera revenu. Car le retour de Jean, ce sera, en plus de ma résurrection à moi, le symbole de la renaissance du bonheur, ou d'un bonheur pour tous. De mon côté, il y a la déportation, de celui de Jean, il y a les dangers qui le guettent lui.

Et lorsque je me prends soudain à voir comme les gens normaux (ce qui m'arrive rarement maintenant), j'ai l'impression de relever la tête et de découvrir la lumière, je n'ose y croire, et je pense : « Cette joie, est-ce possible ? »

Peut-être est-ce depuis le départ définitif de Jean que je me sens tellement désemparée. Il me semble maintenant que tout peut m'arriver.

[...]

Je sais pourquoi j'écris ce journal, je sais que je veux qu'on le donne à Jean si je ne suis pas là lorsqu'il reviendra. Je ne veux pas disparaître sans qu'il sache tout ce que j'ai pensé pendant son absence, ou du moins une partie. Car je « pense » sans arrêt. C'est même une des découvertes que j'ai faites, que cette *conscience* perpétuelle où je suis.

Lorsque j'écris « disparaître », je ne pense pas à ma mort, car je veux vivre ; autant qu'il le sera en mon pouvoir. Même déportée, je penserai sans cesse à revenir. Si Dieu ne m'ôte pas la vie, et si, ce qui serait si méchant, et la preuve d'une volonté non plus divine, mais de mal humain, les hommes ne me la prennent pas.

Si cela arrive, si ces lignes sont lues, on verra bien que je m'attendais à mon sort ; pas que je l'aurais accepté d'avance, car je ne sais pas à quel point peut aller ma résistance physique et morale sous le poids de la réalité, mais que je m'y attendais.

[...]

Je donnerai ces pages à Andrée[1]. Et lorsque je les lui remettrai, je serai obligée d'envisager comme réel et pouvant venir le fait que Jean les lira. Et je ne peux pas m'empêcher alors de sentir que je m'adresse à lui, et de cesser d'écrire à la troisième personne, d'écrire comme lorsque je vous écrivais des lettres, Jean. Et alors le vouvoiement et les autres formes analogues me semblent un mensonge, immédiatement j'ai l'impression de jouer la comédie, et d'être ce que je ne suis pas, quoique s'il était là, cela me semblerait tout naturel de le vouvoyer. Mais, maintenant, au fond de mon cœur, je pense, ou plutôt je *sens*, avant même d'avoir formulé des mots, je sens mon Jean, et je lui dis tu, et ce serait me mentir à moi-même que de faire autrement.

Maintenant que je l'ai écrit, cela me semble également loin de la vérité. En réalité, lorsque je pense à Jean, je suis dans le domaine qui précède la pensée, et les mots, je ne sais pas comment je l'appelle, ou je le pense.

Si j'écrivais : « Jean chéri », j'aurais l'impression de jouer à l'héroïne de roman, je penserais au « Jim chéri » de Miss Thriplow dans *Marina di Vezza*, et je me moquerais de moi. Pouvoir rire ! Jean aime tant cela, rire. Avant, je riais. Maintenant, le sens de l'humour me semble un sacrilège.

[...]

Il y a deux parties dans ce journal, je m'en aperçois en relisant le début : il y a la partie que j'écris par devoir, pour conserver des souvenirs de ce qui devra être raconté, et il y a celle qui est écrite pour Jean, pour moi et pour lui.

1. Andrée Bardiau, cuisinière de la famille Berr.

Cela m'est un bonheur de penser que si je suis prise, Andrée aura gardé ces pages, quelque chose de moi, ce qui m'est le plus précieux, car maintenant je ne tiens plus à rien d'autre qui soit matériel ; ce qu'il faut sauvegarder, c'est son âme et sa mémoire.

Penser que Jean les lira peut-être. Mais je ne veux pas qu'elles soient comme la main de Keats. Je reviendrai, Jean, tu sais, je reviendrai.

À la pensée que l'enveloppe où je mets ces pages ne sera ouverte que par Jean, si elle est ouverte, et aux moments si brefs où j'arrive à réaliser ce que j'écris là, une vague m'envahit, je voudrais pouvoir écrire tout ce qui s'est accumulé en moi pour lui depuis des mois.

Mais je ne réalise presque pas, j'essaierai de saisir le moment précis où cela arrivera.

Jeudi soir 28 octobre

[...]

Étrange journée qui est un symbole de ma vie actuellement. Ce matin, à neuf heures, j'étais aux Enfants-Malades pour prendre des nouvelles d'un de mes petits, j'ai traversé la salle avec ses petits lits blancs, et tous ces petits enfants dressés sur leurs oreillers. C'est lui, Doudou (Édouard Wajnryb) qui m'a reconnue ; moi, je l'ai reconnu au sourire radieux qu'il m'a fait, car il était beaucoup plus beau qu'avant, avec ses cheveux roux bouclés.

Après, je suis allée à Saint-Denis voir Keber. En portant les colis, parlé avec une femme du peuple, cela m'a fait si mal, car elle ne *savait* pas. Elle trouvait qu'il y avait beaucoup de juifs à Paris, évidemment, avec cette étiquette [l'étoile jaune], on les remarque, et elle m'a dit : « Mais on n'ennuie pas les Français, et puis on ne prend que ceux qui ont fait quelque chose. »

Le type de la rencontre qui fait tant souffrir. Et pourtant, je ne lui en veux pas, elle ne savait pas.

[...]

Parlé de Mme Samuel. Elle a fini par être déportée. Elle était restée comme demi-juive, et femme enceinte. Mais on l'a tirée de l'infirmerie, et déportée en wagon sanitaire ; ceci me semble une comédie, car les convois de wagons à bestiaux peuvent-ils comporter un wagon sanitaire ? Mais quelle preuve plus flagrante de la monstrueuse inanité de la politique nazie que de déporter des gens dans des wagons sanitaires ?

Mais à quoi cela sert-il ? Je me prends la tête à deux mains. Réponse : c'est un effroyable engrenage qu'ils font marcher sans réfléchir.

Chaque fois, il happe et avale des gens plus connus. Il y a un départ toutes les semaines, en ce moment.

Mme Samuel, avec qui j'avais discuté de l'après-guerre, la seule que j'aie rencontrée, et qui ait dit qu'il fallait avant tout *faire comprendre* aux Allemands, pour leur ouvrir l'esprit. Elle laisse ce bébé de un an qui est né alors que le père était à Drancy, qu'elle a à peine connu car elle a été six mois à l'hôpital, et son jeune mari, libéré grâce à elle.

J'ai pensé dans le métro aujourd'hui : beaucoup de gens se rendront-ils compte de ce que cela aura été que d'avoir 20 ans dans cette effroyable tourmente, l'âge où l'on est prêt à accueillir la beauté de la vie, où l'on est tout prêt à donner sa confiance aux hommes ? Se rendront-ils compte du *mérite* (je le dis sans honte, parce que j'ai conscience exactement de ce que je suis), du mérite qu'il y aura eu à conserver un jugement impartial et une douceur de cœur à travers ce cauchemar ? Je crois que nous sommes un peu plus près de la vertu que beaucoup d'autres.

J'ai marché aujourd'hui, marché toute la journée. Je suis revenue à pied de ma leçon d'allemand par la rue Saint-Lazare, la rue La Boétie, Miromesnil, l'avenue Marigny et les berges de la Seine.

J'ai marché tout au bord de l'eau, qui a eu son effet magique sur moi, me calmant, me berçant, sans me faire oublier, mais en rafraîchissant ma tête souvent surchargée. Il n'y avait personne. Deux péniches ont passé lentement, sans un bruit, seul le léger clapotis des longues ondes transversales mises en mouvement par le sillage du bateau, et qui venaient mourir sur la berge.

[…]

À déjeuner, il y avait Mlle Detraux, Denise et François. Après, je me suis échappée à nouveau, pour aller chez Galignani acheter un livre pour le mariage d'Annie Digeon. Je voulais encore marcher ; et à nouveau la Seine m'a attirée. Je ne suis pas descendue sur la berge, mais j'ai suivi le cours la Reine, en longeant le parapet, et en marchant dans les feuilles mortes odorantes. Le soleil avait percé et le ciel était bleu. Il y avait une débauche d'ors, les dernières feuilles des marronniers étaient de cuivre, l'herbe des pelouses d'un vert d'émeraude, le ciel pur, lumineux, léger, le parfum tenace des feuilles froissées, et partout dans l'air la saveur un peu âcre et si automnale des feux de feuilles mortes. La Seine pailletée de lumière, c'était d'une beauté irréelle, fragile, splendide.

Place de la Concorde, j'ai croisé tant d'Allemands ! avec des femmes, et malgré toute ma volonté d'impartialité, malgré mon idéal (qui est réel et profond), j'ai été soulevée par une vague non pas de haine, car j'ignore la haine, mais de révolte, d'écœurement, de mépris. Ces hommes-là, sans le comprendre même, ont ôté la joie de vivre à l'Europe entière. Ils allaient si mal avec cette beauté lumineuse et fragile de Paris, ces hommes capables de faire les horreurs que nous connaissons trop bien, ces hommes issus d'une race qui a produit des êtres tels que les chefs nazis qui ont pu se laisser abrutir, déspiritualiser, abêtir pour ne plus être que des automates sans cerveau, avec tout au plus des réactions d'enfants de 5 ans, c'est cela qui fera que toujours quelque chose se dressera en moi lorsqu'on me parlera d'un Allemand. Tout en moi s'oppose au caractère germanique, se hérisse à son contact, peut-être suis-je essentiellement latine de tempérament ? L'exaltation de la violence, l'orgueil, la sentimentalité, l'exaltation des émotions de tout ordre, le goût de la mélancolie vague et gratuite, autant d'éléments du caractère germanique devant lesquels mon tempérament se rebelle. Je n'y peux rien.

Et dans mon dégoût à ce moment-là n'entrait aucune considération de mon cas spécial, je ne pensais pas aux persécutions.

Mais lorsque je suis entrée sous les arcades, et que j'ai senti quelles attaches profondes, quelles affinités essentielles, quelle compréhension et quel amour réciproque m'unissaient aux pierres, au ciel, à l'histoire de Paris, j'ai eu un sursaut de colère en pensant que ces hommes-là, ces *étrangers* qui ne comprendraient jamais Paris ni la France, prétendaient que je n'étais pas française, et considéraient que Paris leur était dû, que cette rue de Rivoli leur appartenait.

J'ai acheté chez Galignani une belle édition du *Sentimental Journey*, et *Lord Jim* (pour moi). J'y resterais des heures, si je pouvais.

En ressortant, j'ai traversé le pont de la Concorde et je suis montée chez Françoise voir Cécile. Cécile m'a dit que quand elle voyait les péniches sur la Seine, par une belle matinée ensoleillée, elle pensait tant à Françoise ! Et cette pensée-là m'a hantée, au cours de toutes ces promenades. À chaque plaisir que j'éprouve – et ce n'est plus un plaisir, mais seulement *la conscience que je suis témoin d'une belle chose* (car elle ne s'accompagne d'aucune jouissance) –, je pense à Françoise qui aimait tant la vie, qui aimait tant Paris. Ma pensée ne la quitte pas un seul instant.

[…]

Dimanche 31 octobre
7 h 30

Nous venons de déchiffrer un quatuor, le *Septième* de Beethoven. Annick était venue. Nous avions beau le bâcler, la mélodie intérieure, l'andante, me soulevaient profondément, complètement. Maintenant, il me semble que mon âme est devenue immense, je suis pleine d'échos, et aussi d'une étrange envie de pleurer. Il y avait trop longtemps que je n'en avais entendu. J'appelle Jean de tout mon cœur. C'est avec lui que j'ai appris à connaître les quatuors, entendre avec lui.

Lundi 1er novembre

J'ai fini hier soir *L'Immoraliste*, je crois que je ne comprends pas Gide : je n'arrive pas à saisir le sens de ses livres parce qu'il est à peine esquissé, le problème n'est pas clairement posé. Pourquoi Michel fait-il mourir sa femme ? En échange de quel gain ? Qu'y a-t-il de positif dans sa doctrine ? Elle n'est même pas définie.

D'autre part, la philosophie de Gide va à l'encontre de la mienne ; il y a quelque chose de *vieux*, de pas spontané, de trop réfléchi, d'égoïste dans son désir de jouir de tout.

Ce parti pris d'avance est trop raisonné, il est centré autour du moi, il manque d'humilité, et de générosité. Non, je ne l'aime pas.

Enfin le style me paraît, à tort ou à raison, recherché, prétentieux et vieilli. Il y a des tournures de phrases qui me font sursauter à chaque instant par leur manque de naturel.

Ma pensée tourne sans cesse autour de deux pôles : la souffrance du monde, qui se trouve condensée d'une manière concrète et vivante dans le fait de la déportation et des arrestations, et l'absence de Jean. Les deux souffrances maintenant se sont fondues en une seule et resteront associées.

C'est comme un lit sur lequel je me retournerais sans cesse pour retrouver les mêmes tourments.

[...]
Personne ne saura jamais l'expérience dévastatrice par laquelle j'ai passé cet été.

De ce départ du 27 mars 42 (celui du mari de Mme Schwartz), on n'a jamais rien su. On a parlé des avant-lignes sur le front russe, où l'on aurait employé les déportés à faire sauter des mines ?

On a parlé aussi des gaz asphyxiants par lesquels on aurait passé les convois à la frontière polonaise. Il doit y avoir une origine vraie à ces bruits.

Et penser que chaque personne nouvelle qui est arrêtée, hier, aujourd'hui, à cette heure même, est sans doute destinée à subir ce sort terrible. Penser que ce n'est pas *fini*, que cela continue tout le temps avec une régularité diabolique. Penser que si je suis arrêtée ce soir (ce que j'envisage depuis longtemps), je serai dans huit jours en Haute-Silésie, peut-être morte, que toute ma vie s'éteindra brusquement, avec tout l'infini que je sens en moi.

Et que pour chaque individu qui a déjà passé par cette épreuve, et qui est un monde aussi, c'est cela qui l'attend.

Comprenez-vous pourquoi le journal d'Antoine Thibault m'a tellement bouleversée ?

Je n'ai pas peur de la mort, en ce moment, parce que je pense que quand je serai devant, *je ne penserai plus*. Je saurai enlever de mon esprit l'idée de ce que je perds, comme je sais si bien oublier ce que je *veux*. [...]

Mardi 9 (novembre)

Ce matin, j'ai emmené aux Enfants-Malades une petite de 2 ans et demi, elle a l'air d'une petite Arabe. Elle pleurait tout le temps à l'hôpital en appelant « Maman » instinctivement, automatiquement. Maman, le cri qui vient aux lèvres spontanément, lorsqu'on souffre ou qu'on a du chagrin. Lorsque j'ai distingué ces deux syllabes au fond de ses sanglots, j'ai tressailli.

Sa mère et son père sont déportés, elle était en nourrice, on est venu l'arrêter ! Elle a passé un mois au camp de Poitiers.

Les gendarmes qui ont obéi à des ordres leur enjoignant d'aller arrêter un bébé de 2 ans, en nourrice, pour l'interner. Mais c'est la preuve la plus navrante de l'état d'abrutissement, de la perte totale de conscience morale où nous sommes tombés. C'est cela qui est désespérant.

N'est-ce pas désespérant de s'apercevoir que moi, avec ma réaction de révolte, je suis une exception, alors que ce devrait être ceux qui *peuvent* faire ces choses qui soient des personnes anormales ?

C'est toujours la même histoire de l'inspecteur de police qui a répondu à Mme Cohen, lorsque, dans la nuit du 10 février, il est venu arrêter treize enfants à l'orphelinat, dont l'aîné avait 13 ans et la plus jeune 5 (des enfants dont les parents étaient déportés ou disparus, mais il « en » fallait pour compléter le convoi de mille du lendemain) : « Que voulez-vous, madame, je fais mon devoir ! »

Qu'on soit arrivé à concevoir le devoir comme une chose indépendante de la conscience, indépendante de la justice, de la bonté, de la charité, c'est là la preuve de l'inanité de notre prétendue civilisation.

Les Allemands, eux, c'est depuis une génération qu'on travaille à les ré-abrutir (c'est un retour périodique). Toute intelligence est morte en eux. Mais on pouvait espérer que chez nous, ce serait différent.

La chose terrible, c'est que dans tout cela, on voit très peu de gens *sur le fait*. Car le système est si bien organisé que les hommes responsables paraissent peu. C'est très dommage, car autrement, la révolte serait bien plus générale.

Ou est-ce parce que je vois les choses de l'extérieur ? Il est certain qu'il a fallu un minimum d'hommes pour organiser et exécuter ces persécutions.

[...]

Vendredi 12 novembre

Après le déjeuner, Mme Agache est arrivée comme une folle parce qu'elle venait d'apprendre que la jeune Mme Bokanowski, mise à l'hôpital Rothschild avec ses deux bébés pendant que le mari était déporté à Drancy, avait été ramenée à Drancy. Elle a demandé à Maman : « Comment, on déporte des enfants ? » Elle était affolée.

Dire la douleur que j'ai ressentie en voyant qu'elle avait seulement *compris* maintenant, parce que c'était quelqu'un qu'elle connaissait, c'est impossible. Maman lui a répondu, sans doute envahie par le même flot passionné que moi : « Depuis un an que nous vous le disons, vous ne vouliez pas le croire. »

Ne pas savoir, ne pas comprendre, même lorsqu'on sait, parce qu'une porte reste fermée en vous, la porte qui, en s'ouvrant, laisse enfin *réaliser* la partie de ce qu'on savait simplement. C'est l'immense drame de cette époque. Personne ne sait rien des gens qui souffrent.

[...]

Mais a-t-elle jamais vu l'intérieur de mon cœur ? Elle me voit toujours normale, toujours occupée à mille choses. C'est ma faute, aussi. Mon extérieur trompe les gens. Je devrais consentir à me montrer telle que je suis à l'intérieur, faire le sacrifice de cette pudeur ou de cette fierté qui veut m'obliger à être encore comme les autres gens, et aussi à refuser leur pitié, montrer mon angoisse pour servir la cause qui est mon but : dévoiler la souffrance humaine sous toutes ses formes.

Souvent, j'ai l'impression de jouer la comédie, que mon devoir serait de ne pas avoir l'air normal, de dévoiler, de creuser le fossé réel qui nous sépare des autres gens, au lieu d'essayer de l'ignorer, ou même, ce qui m'arrive souvent, de m'en détourner par égard pour eux, pour ne pas leur faire sentir mon reproche.

Et si les gens savaient quels ravages il y a dans mon cœur !

[...]

Dimanche
14 novembre

[...]

Hier soir, après le dîner, je lisais *The Good Natured Man*, de Goldsmith, lorsque l'on a sonné. C'était un jeune homme que nous envoyait Mlle Detraux, pour nous demander notre avis au sujet de deux enfants qu'il avait recueillis après l'arrestation du père (un médecin), de la mère et des deux plus jeunes, âgés de 12 mois et 2 ans. Arrêté dans la rue, le père, parce que l'on avait voulu vérifier ses papiers, il avait eu un mouvement pour fuir, on est venu ensuite chercher la famille, qui était en train de faire ses malles – trop tard, hélas ! Il paraît que l'Allemand qui est venu arrêter la femme lui disait : « Pourquoi ne pas dire où sont les deux autres enfants ? Une famille, c'est fait pour être ensemble… » Oui, lorsqu'on sépare les maris et les femmes dès Metz !

Car maintenant, ce sont les familles qu'on déporte ; où pensent-ils en venir ? Créer un État juif esclave en Pologne ? Pensent-ils une seconde que ces malheureuses familles fixées ici, certaines depuis cinq siècles, ont une autre idée obsédante que celle de revenir ?

Après, je n'ai pu continuer ma lecture. J'ai dû aller me coucher. Le problème du mal m'apparaissait à nouveau si immense et si désespéré !

Mardi 16 novembre

Boulevard de la Gare, où on a ouvert une succursale de Lévitan (centre où des internés de Drancy, « favorisés » parce qu'ils sont « conjoints d'aryens[1] », trient et mettent en caisse les objets volés par les Allemands dans les appartements juifs et destinés à l'Allemagne), se trouvent actuellement deux cents personnes, hommes et femmes mélangés dans la même salle avec un lavabo. Tout se passe en commun, on dépouille avec raffinement les hommes et les femmes de leur pudeur.

Là se trouvent M. Kohn, Édouard Bloch, grand mutilé, comment fait-il ? Mme Verne, la femme du banquier. Et

1. Les juifs mariés à des non-juifs sont considérés par l'occupant comme des « conjoints d'aryen ». Ils ne sont, en théorie, pas déportables.

d'ailleurs qu'est-ce que cela peut faire, la classe ? Tous souffrent, seulement des gens intensément délicats et fins comme le premier doivent souffrir plus.

Été à Neuilly pour rien.

Été à Saint-Denis à onze heures trente.

Pleuré après le dîner.

Mercredi 17 novembre

Je reviens de l'hôpital des Enfants-Malades où une surveillante m'avait convoquée à cause d'un enfant. Une femme de cœur et d'intelligence voulait sauver Doudou ; je lui ai expliqué qu'il n'y avait rien à faire, qu'il était bloqué[1] ; ai saisi ses hésitations vis-à-vis de l'UGIF, et cela m'a fait de la peine. Je la comprends si bien ; et c'est si difficile d'expliquer aux autres ce que c'est. Officiellement, par son caractère non clandestin, c'est une monstruosité. Mais d'abord, qui se serait occupé des internés et des familles sans cela ? Et qui peut dire le bien que beaucoup de ses membres ont fait ?

Elle m'a raconté qu'elle avait un garçon de salle qui revenait de Pologne, et qui avait assisté de ses propres yeux au spectacle suivant : les ouvriers français là-bas n'ont pas le droit de circuler en dehors d'une enceinte déterminée. Celui-là était sorti un soir, dans le noir, et avait dépassé la limite prescrite, il se trouvait au bord d'une espèce de lac, soudain il entendit du bruit. Il se cacha, et assista à une chose qui n'a pas de nom : il vit des Allemands s'avancer, poussant devant eux des femmes, des hommes, des enfants. Il y avait là une espèce de tremplin sur lequel on les faisait monter. Et de là floc !

1. Les enfants bloqués sont des enfants dont les parents ont été déportés et que les Allemands ont remis aux orphelinats de l'UGIF avec interdiction de les faire sortir. La plupart de ces enfants bloqués seront ultérieurement déportés.

dans le lac, c'est comme cela qu'elle a dit ; je sentais la moelle de mes os se glacer. C'était des juifs polonais.

Je ne sais donc pas tout, mais chaque récit nouveau tombe dans une atmosphère de conscience à vif.

Elle a ajouté qu'il est fort probable qu'en reculant sur le front russe, les Allemands reviendront sur ces lieux, découvriront les cadavres, et proclameront que ce sont les bolcheviks pour faire peur à nos bons bourgeois. Qui sait si Katyń n'était pas leur œuvre aussi ?

Cet ouvrier était dans un camp avec des Russes. C'est dans ce camp qu'il y a eu une terrible épidémie de typhus pour laquelle Lemière est parti en Allemagne (sans rien faire, a-t-elle dit). Il est mort quatorze mille Russes dans ce camp. Le soir, les Allemands faisaient atteler quatre Russes à des charrettes sur lesquelles on empilait les cadavres nus, on jetait dessus pêle-mêle des hommes qui n'étaient pas encore morts avec les autres.

Quant aux femmes russes, lorsque les Français avaient tenté de leur donner à manger, on les avait enfermées dans un cachot. L'après-midi, on les avait sorties et fait défiler nues devant les ouvriers français, qui avaient tellement crié après les Allemands, que ceux-ci avaient empilé à nouveau ces femmes dans leur cachot.

Et on voudrait, sachant cela, que je sois normale, que je travaille régulièrement ? [...]

Les seuls heureux doivent être les ignorants.

Mercredi 24 novembre

Il y a en ce moment une vague de pessimisme. Est-ce à cause de l'hiver, le troisième de ces longs hivers sans espoir ? Est-ce vraiment parce que l'on est à bout ? Qui peut le dire ? La résistance humaine a des ressources incroyables. Jamais on n'aurait pu croire que nous supporterions ce que nous supportons. Comment Mme Weill, par exemple, la mère de Mme Schwartz, que j'ai vue hier matin, ne devient-elle pas folle ? Comment la vieille Mme Schwartz, avec deux fils déportés, une belle-fille déportée, un gendre prisonnier, une fille internée, et un mari gâteux, ne devient-elle pas folle ?

Il paraît qu'en Allemagne, le parti est encore si fort que la guerre peut durer longtemps. Dans les villes bombardées, on oblige les hommes à rester ; les femmes sont envoyées dans d'autres usines ; et les enfants, dès 6 ans, sont confiés aux écoles nazies. Les enfants ! Pourquoi essayer de croire que les Allemands envisagent la situation comme nous, qu'ils voient les deux aspects de la question, qu'ils voient l'inutilité de la guerre. Il ne faut pas essayer de comparer l'état d'esprit d'un Allemand de maintenant avec le nôtre. Ils sont intoxiqués ; et ils ne pensent plus ; ils n'ont plus d'esprit critique : « Le Führer pense pour nous. » Je craindrais de me trouver devant un Allemand, car je suis sûre qu'il y aurait incapacité totale de nous comprendre. Leur bravoure n'est plus guère qu'un instinct animal, l'instinct de la bête. Ceux qui ne se battent pas parce que c'est l'ordre et qu'ils sont un troupeau, ceux-là agissent sans doute avec l'exaltation des fanatiques.

Je ne peux rien admirer en eux, car ils ne possèdent plus rien de ce qui faisait la noblesse d'un être humain. C'est pour cela que la guerre peut durer, c'est pour cela que l'avenir est si sombre.

Ce matin, je lisais Shelley, et sa *Défense de la poésie* ; hier soir, un dialogue de Platon traduit par lui. Quel désespoir de penser que tout cela, tous ces magnifiques résultats de polissure, d'humanisation, toute cette intelligence et cette largeur de vues sont morts aujourd'hui. Vivre une époque pareille, et être attiré vers toutes ces œuvres, quelle dérision, c'est presque incompatible. Que dirait Platon ? Que dirait Shelley ? On me traiterait de rêveuse et d'inutile. Mais n'est-ce pas les autres, n'est-ce pas la rage de mal qui sévit actuellement qui est la chose fausse et inutile ? Si j'étais née à une autre époque, tout cela aurait pu s'épanouir.

Il y a aujourd'hui un an que Jean est parti. Un an que je suis rentrée pour trouver le bouquet d'œillets panachés. Depuis samedi, anniversaire de la dernière fois où il est venu, et où j'ai revécu depuis le matin tous les détails de cette dernière journée, j'ai comme doublé un cap, j'ai vaincu l'obsession des souvenirs que chaque anniversaire faisait surgir.

[...]

Lundi soir, 6 décembre

Je pourrais danser, courir, sauter. Je ne sais comment contenir ma joie : on a des nouvelles de Françoise et des autres. Ouf ! ça y est, je l'ai dit. J'ai trouvé en rentrant un pneu de la mère de Mme Schwartz me disant qu'elle venait de recevoir une carte de sa fille du 25 octobre de Birkenau. Françoise embrasse son père. Mme Robert Lévy et Lisette Bloch sont avec elle. Le silence est enfin brisé.

Je m'arrête pour réfléchir comment je pourrais prévenir Cécile, Nadine, Monique de Vigan. Toutes ses amies, sans téléphone, *damn it* [la barbe] ! Ne pas pouvoir sortir, il est sept heures et demie. J'irai rue de Lille demain matin à la première heure. De chez les Ébrard, j'ai appelé les Canlorbe. C'est le mari de Nicole qui a répondu. Heureusement, il pourra faire la commission.

Dieu soit loué ! J'ai beaucoup prié.

Savoir où elles sont ! Avoir un mot d'elles depuis cet horrible départ. C'est une amarre pour la pensée errante aveugle.

[...]

Il y a au moins huit jours que je n'ai rien noté sur ce journal. La dernière fois, c'était sous le coup des objurgations de Lucie Morizet qui m'annonçait notre arrestation prochaine. Toute la semaine cela a continué, de tous les côtés, jusqu'à M. Rouchy samedi. Mais samedi, une autre affaire est venue nous inquiéter bien plus, sans doute à tort. Maintenant, je suis incapable de me souvenir de l'atmosphère horrible de cette journée, de cet après-midi, qui me semblait être une des réalisations de mon angoisse constante : Denise a reçu la visite le matin d'un Allemand en uniforme qui a demandé à voir l'appartement. Depuis, on nous a rassurés, en disant que c'était constant. Sur le moment, j'ai vu, et nous avons tous vu, Denise et François obligés de se cacher, l'appartement déménagé, la vie dehors, la vie jusqu'à la fin de la guerre pour deux personnes de plus, et cette fois de notre propre famille. Denise, dans l'état où elle est ! Pendant le déjeuner, sous le choc de cette visite, elle faisait des efforts visibles pour ne pas éclater en sanglots. Tout l'après-midi, je suis restée ici en faction, tandis que Maman, Denise, Andrée et son mari étaient à l'appartement, François et Papa chez Robert L. Il a fallu supporter la visite des Robert Wahl.

J'ai continué machinalement à habiller des poupées. Le lendemain, j'étais aussi vaseuse qu'un lendemain de bal !

[...]

Vendredi 31 décembre

Je voulais consacrer cette matinée au travail, je sais fort bien que le travail ne peut plus être pour moi qu'un moment volontaire d'oubli, et rien de plus. Je sais très bien que je n'ai pas résolu le conflit entre lui et la réalité,

entre l'accomplissement de mon moi, et l'appel tyranni-
que de la réalité, que ce conflit reprendra dès midi, dès
que j'aurai fermé mon livre. Hier soir, je voulais le faire,
mais j'étais trop fatiguée. En quelques heures libres si
précieuses pour moi, arrachées en quelque sorte, je n'en
ai rien fait, parce que Denise était là quand je suis rentrée, parce que j'étais trop fatiguée (je n'ai pas pris un
jour de vacances) j'ai eu encore une crise de larmes
comme l'autre jour, lorsque Maman est rentrée ; il n'y a
rien à faire, c'est comme une digue qui se rompt.

Ce matin, donc, je voulais travailler, quelquefois encore,
je pense à une matinée de travail comme à une merveilleuse perspective, je pense à la poésie, à toutes les
joies que je pourrais y éprouver, à ce que je pourrais
créer. Mais comment n'ai-je pas encore compris que cela
ne devait plus être, ne pouvait plus être ? Comment ne
parviens-je pas à y renoncer, à accepter de reconnaître
que c'est impossible. Ainsi, ce matin, je devais m'y mettre,
et encore, seulement jusqu'à onze heures car je dois aller
à l'hôpital voir Michèle Varadi. (Encore une nouvelle
mesure allemande : les juifs n'ont plus le droit maintenant de se faire soigner dans les hôpitaux.) Mais Maman
vient de lire le journal, brusquement le peu d'espoir, la
petite provision de bonheur artificiel que j'avais réunie à
grand-peine s'est écroulée, parce que la réalité a vaincu.
Deux choses : Darnand[1] vient d'être nommé commissaire
au Maintien de l'ordre. Je ne sais pas qui c'est, sinon un
de ces gangsters protégés par les nazis qui surgissent
partout. Mais ce que cela veut dire = une guerre civile

---

1. Joseph Darnand, ultra de la collaboration, a créé en janvier 1943 la Milice française pour lutter contre les maquis et la Résistance. En décembre 1943, il entre dans le gouvernement de Vichy
comme secrétaire général au Maintien de l'ordre. La Milice intensifie
dès lors son action contre les résistants et les juifs.

certaine, des arrestations et des morts encore. Des morts partout. Et des morts, qu'est-ce que c'est ? C'est mettre fin à des vies pleines de promesses, de sève à des vies intérieures aussi bourdonnantes et intenses que la mienne par exemple. Et cela froidement. C'est tuer une âme en même temps qu'un corps, alors que les assassins ne voient qu'un corps. Et plus on ira, plus il y aura de morts. Une fois que l'on commence à verser le sang, il n'y a plus de limites.

Comme la morale et le respect de l'humanité disparaissent vite lorsqu'une certaine limite est dépassée ! En un bond, on revient au stade animal. Il y a longtemps que les nazis ont rejoint ce stade. Ils jouent avec le revolver, avec la mort comme avec un mouchoir de poche. Ce sont eux qui sont à la tête de cet effroyable engrenage qui tourne maintenant avec une vitesse accélérée.

Je crois que je deviendrai folle. Par moments, je perds mon équilibre.

[…]

1944

Dimanche soir, 10 janvier 1944

Irai-je jusqu'au bout ? La question devient angoissante. Irons-nous jusqu'au bout ?

Il y a maintenant deux grandes voies qui mènent également au danger et peut-être au néant : la déportation qui nous menace toujours, les événements qui vont se passer d'ici la fin de la guerre. Ceux qui la termineront, et dont l'effroyable danger m'apparaît plus clairement depuis que Gérard nous en a parlé.

Je crains maintenant pour Jean, car sa vie sera exposée. Si nous nous retrouvons après tout cela, si j'échappe au danger qui nous menace depuis deux ans, et si lui, il sort de cet ouragan de feu sain et sauf, nous aurons payé cher notre bonheur. Quelle valeur extraordinaire il aura acquis.

Mais comme son retour sera différent de ce que j'avais imaginé. Il n'y aura pas de coup de sonnette à la porte. Je n'aurai pas à me demander dans quelle pièce je l'accueillerai. Serai-je ici ? Même au cas où rien ne me sera arrivé, dans ce grand bouleversement qui secouera la France entière, où serons-nous ?

D'ici trois mois peut-être ? C'est très long, trois mois, pour les gens qui ont vécu en s'attendant chaque jour au débarquement sans autre base que leur espoir, et les faux bruits. Mais dès qu'on l'envisage comme une chose certaine, qu'on en prévoit soudain l'accomplissement, cela devient très court.

Long, oui, terriblement pour ceux qui souffrent, pour ceux qui, comme l'a raconté Mme Poncey, sont dans un camp de concentration près de Vienne et sont si affaiblis qu'ils chancellent sous le choc des morceaux de pain que leur lancent les prisonniers français leurs voisins. Pour les déportés, pour ceux qui meurent de faim, pour ceux qui sont torturés dans les prisons.

[…]

Samedi 22 janvier

Bruit de rafles à nouveau, il y en a eu cette nuit. Mme Pesson a alerté Maman.

Papa dit qu'il faudra envisager le moment de ne plus rester ici. J'ai toujours peur que ce ne soit trop tard. S'ils sonnent, que ferons-nous ? Ne pas ouvrir : ils enfonceront la porte.

Ouvrir et présenter la carte : une chance sur cent.

Essayer de filer : s'ils sont derrière la porte de service ? refaire les lits en vitesse pour qu'ils ne voient pas qu'on vient de partir ; là-haut le froid, la réaction, et la pensée du lendemain à partir duquel il va falloir vivre une vie de traqués. Je n'ai jamais quitté mon domicile encore. On ouvre, la sommation, l'habillage fébrile dans la nuit, pas de *rucksack* [sac à dos], qu'emporter ? Le sentiment de la catastrophe que cela va être, du changement total, pas le temps de réfléchir. Tout ce qu'on abandonne, la voiture en bas qui attend, le camp, la rencontre avec tous les autres, qu'on ne reconnaît plus.

Cela sera-t-il ou non ?

[…]

Hier matin, été chercher Doudou à l'hôpital. Ses infirmières et les enfants ne voulaient pas le laisser partir.

Après, visite à Mme Weill. Elle est dans un état de nerfs désespérant. Ennuis pour les petits. Soucis de la vie actuelle.

Je retiens ceci. Pierre, dans la pension où il est en ce moment, a un vieux professeur auquel il faut apporter des cadeaux pour se faire bien voir. En pleine classe, après une réprimande quelconque, il a apostrophé Pierre : « Vous, vous seriez mieux avec vos coreligionnaires dans les environs du Bourget ! »

Cela vous lacère le cœur. Quand on sait les atroces implications que suggère le sous-entendu, quand on sait ce qu'est Drancy.

Naturellement, aussitôt les camarades lui ont demandé ce qu'il était. Peut-on obliger un enfant à mentir ? Comment peut-il se retrouver ensuite dans ce réseau inextricable ? À deux, « sous le sceau du secret », il a confié ce qu'il était.

Maintenant, c'est nouveau, lorsque je vois un Allemand ou une Allemande, je me suis aperçue avec stupéfaction qu'une bouffée de rage montait en moi, je pourrais les frapper. Ils sont devenus pour moi ceux qui font le mal que je côtoie chaque minute. Avant, je ne les voyais pas ainsi, je les voyais comme des automates aveugles, abrutis et brutes, mais non responsables de leurs actes, peut-être avais-je raison ? Maintenant, je les vois avec les yeux de l'homme simple, avec une réaction instinctive, primitive – je connais la haine ?

Pourquoi ne céderai-je pas à cette attitude primitive ? Pourquoi essayer de raisonner, de voir clair dans les causes et les origines des responsabilités, alors qu'eux ne le font pas ? C'est une question qui peut se poser ? Si l'on supprime par un effort conscient la réaction de haine, arrivera-t-on à réparer tout le mal qui a été fait ? Comprendront-ils autre chose que la loi du talion ? C'est un problème angoissant.

Hier, onzième anniversaire de l'avènement de Hitler ! Onze ans, nous le savons maintenant, d'un régime dont l'auxiliaire principal est le camp de concentration et la Gestapo. Qui peut admirer cela ?

Je n'ai guère dormi cette nuit ; hier soir, lorsque je suis rentrée, Papa a annoncé sa résolution de ne plus coucher ici. Entre Papa qui est maintenant fixé dans une décision qui se cristallise depuis de longs jours, et sans doute justifiée par les faits, et Maman qui, dans son état de fatigue, ne pourra pas le supporter, je suis divisée. Qui aura eu raison ? Papa, qui voit les faits, ou Maman, qui sent ? Maman est-elle inconsciente et Papa conscient ? Qui sait. La vérité est que tout le souci et la fatigue de cette vie vont retomber sur Maman, toujours sur la femme. Maman a eu une crise de larmes, comme si elle était brisée brusquement, avant le dîner ; c'est vrai, depuis des mois elle supporte tout pour tous, et n'a pas le droit de se laisser aller. Elle est hypertendue. Mon Dieu ! Que va-t-il advenir de tout cela ?

Sacrifier aussi le peu de vie familiale qui restait. Nos soirées ensemble. D'un autre côté, cela doit-il entrer en balance avec la menace, si cette menace est vraie ? Papa a déjà vu ce que c'était : je comprends sa décision. Mais je comprends aussi la lassitude extrême de Maman.

[…]

Mardi 15 février 1944

J'ai vu ce matin à Neuilly Mme Kahn, qui vient de passer huit jours à Drancy. Elle avait été arrêtée à Orly et, comme membre du personnel, a été relâchée la veille de la dernière déportation. Par elle j'ai obtenu les détails que nous ne pourrons plus apprendre que de ceux qui reviendront de la déportation. Elle est allée pour ainsi dire jusqu'à l'extrême bord. À partir de là, c'est l'inconnu, c'est le secret des déportés.

À Drancy même, la vie est supportable. Pendant huit jours, elle n'a pas eu faim. Ce que je voulais obtenir, c'était des détails sur le départ. Je connais Drancy, j'y suis allée deux fois quinze jours tous les jours l'année dernière ; j'imagine la vie qu'on y mène. Je revois les grandes vitres des bâtiments, et les figures qui se collaient aux vitres, ces gens enfermés, désœuvrés, ou alors rassemblant le peu qu'ils avaient à manger et mangeant sur leurs lits, à n'importe quelle heure. Juste en face de la PJ[1], il y avait la famille Klotz, une famille arrêtée à Tours, père, mère, fils et deux filles, la mère, une belle femme distinguée aux cheveux blancs. Cela, je voudrais le raconter, mais que suis-je pour le raconter, à côté de ceux qui y ont été, et y ont souffert ?

J'ai demandé des détails précis, un ou deux jours avant le départ, on s'organise dans une chambrée qui reproduira le wagon, soixante personnes, hommes et femmes mélangés (jusqu'à Metz sans doute, on ne sépare pas les familles). Pour soixante personnes, *seize* paillasses étendues sur le plancher du wagon à bestiaux plombé, un seau hygiénique (peut-être trois), vidé quand ? Comme vivres, chacun reçoit au départ un paquet contenant : quatre grosses pommes de terre à l'eau, une livre de bœuf cuit à l'eau, 125 gr de margarine, quelques gâteaux secs, une demi-crème de gruyère, un pain un quart. Ration pour six jours de ce voyage.

1. PJ pour PQJ : la Police aux questions juives, service spécialisé de la police de Vichy, créé en octobre 1941.

A-t-on faim ? Dans cette atmosphère qui doit être étouffante, l'odeur des seaux, l'odeur humaine. Pas d'aération ? J'imagine. Et les crampes, tout le monde ne peut pas se coucher, ni s'asseoir, à soixante dans un wagon.

Là-dedans des malades ou des vieillards. Encore si l'on est avec des personnes convenables. Mais il faut aussi compter avec les promiscuités désagréables.

Pour se laver, au camp, hommes et femmes ensemble. Mᵐᵉ Kahn dit : « On arrive à se laver sans qu'on vous voie, si les gens sont bien, et puis quand une femme n'est pas très bien, pour sa toilette, une autre se met devant elle pendant ce temps. » Mᵐᵉ Kahn est très courageuse, et elle est infirmière. Elle dit : « Pour les gens pudibonds, évidemment, c'est ennuyeux. » Mais il y en a.

Je lui demande : « Qui vide les seaux hygiéniques dans le wagon (cela me tracasse) ? » Elle n'en sait rien. Je lui demande si elle a vu arriver les gens arrêtés (je pensais qu'elle aurait pu voir Marianne et sa grand-mère, mais elle a été libérée avant leur arrivée). Elle répond : « Par exemple, dans ma chambre, il y avait une famille de treize, enfants et parents, arrêtés dans les Ardennes, mutilé et décoré, onze enfants de 15 mois à 20 ans. Quand Fuidine (un des autres du personnel d'Orly) a vu que je les avais pris dans notre chambre, il m'a dit : "Tu en as fait une trouvaille !" Mais je vous assure qu'ils étaient propres et bien élevés, tous ces enfants. Et la mère, pas un mot, une dignité ! Mon cœur se serrait en l'entendant. »

Treize enfants et parents, que vont-ils faire de ces petits ? S'ils déportent pour faire travailler, à quoi servent les petits ? Est-ce vrai qu'on les met à l'assistance publique allemande ? Les autres ouvriers qu'on envoie en Allemagne, on ne prend pas leurs femmes et leurs enfants. La monstrueuse incompréhensibilité, l'horrible illogisme de tout cela vous torture l'esprit. Il n'y a sans doute pas à réfléchir, car les Allemands ne cherchent même pas de raison, ou d'utilité. Ils ont un but, exterminer.

Pourquoi alors le soldat allemand que je croise dans la rue ne me gifle-t-il pas, ne m'injurie-t-il pas ? Pourquoi souvent me tient-il la porte du métro, ou me dit-il pardon quand il passe devant moi ? Pourquoi ? parce que ces gens ne savent pas, ou plutôt qu'ils ne *pensent* plus ; ils sont pour l'acte immédiat qu'on leur commande. Mais ils ne voient même pas l'illogisme incompréhensible qu'il y a à me tenir la porte dans le métro, et peut-être demain à m'envoyer à la déportation : et pourtant je serai la même et unique personne. Ils ignorent le principe de causalité.

Il y a aussi sans doute qu'ils ne savent pas tout. La marque atroce de ce régime, c'est son hypocrisie. Ils ne connaissent pas tous les horribles détails de ces persécutions : parce qu'il n'y a qu'un petit groupe de tortionnaires, et de Gestapo qui y est impliqué.

Sentiraient-ils, s'ils savaient ? Sentiraient-ils la souffrance de ces gens arrachés de leurs foyers, de ces femmes séparées de leur chair et de leur sang ? Ils sont trop abrutis pour cela.

Et puis ils ne pensent pas, j'en reviens toujours à cela, je crois que c'est la base du mal ; et la force sur laquelle s'appuie ce régime. Annihiler la pensée personnelle, la réaction de la conscience individuelle, tel est le premier pas du nazisme.

[...]

« Cela ne m'a rien fait d'entrer à Drancy, le choc a été lorsqu'on m'a dit que je sortais. » Moi aussi, je connais le « paysage » de Drancy. Seulement, quelle impression éprouverai-je lorsque je sentirai que je suis « bouclée pour de bon », et que toute une partie de ma vie est close à jamais, qui sait, peut-être toute ma vie quoique j'aie la volonté de vivre même là-bas.

N'est-ce pas, tout cela a l'air d'un reportage ? « J'ai vu une telle, retour de… Nous lui avons posé des questions. » Mais dans quel journal aujourd'hui lirons-nous des reportages sur ces choses-là ? « Je reviens de Drancy. » Qui en parlera ?

Et même n'est-ce pas une insulte à la souffrance indicible de toutes ces âmes individuelles, dont chacune a la sienne particulière, que d'en parler sous forme de reportage ? Qui dira jamais ce qu'a été la souffrance de chacun ? Le seul « reportage » véridique, et digne d'être écrit, serait celui qui réunirait les récits complets de chaque individu déporté.

Tout le temps, à l'arrière-plan de ma pensée, il y a les pages de *Résurrection*, du deuxième volume où l'on décrit le voyage des déportés. Cela me réconforte presque (étrange réconfort) de savoir que quelqu'un d'autre, et Tolstoï, a connu et écrit des choses pareilles. Parce que nous sommes si isolés parmi les autres, notre souffrance particulière même crée entre les autres et nous une barrière, qui fait que notre expérience demeure incommunicable, sans précédent et sans attaches dans le reste de l'expérience du monde. Après, cette impression s'évanouira, car on saura. Mais il ne faudra pas oublier que *pendant*, le groupe humain qui souffrait toutes ces tortures était totalement séparé de ceux qui ne les connaissaient pas, que la grande loi du Christ qui dit que tous les hommes sont frères, et que tous devraient partager et soulager la souffrance de leurs égaux, a été ignorée. Car il n'y a pas que l'inégalité sociale, il y a aussi une inégalité de souffrance (qui correspond quelquefois, surtout en temps de paix, avec la première).

L'année dernière, à cette époque, j'écrivais à Jean des lettres pleines d'une étrange exaltation, à propos de *Résurrection*. Je lui en avais même transcrit une page, celle où Tolstoï cherche les raisons de tout ce mal. Maintenant, je ne peux même plus lui en parler. L'autre jour, chez Andrée, j'ai retrouvé tout mon journal, commencé en cette année qui avait été à la fois si tragique et si exaltante, celle où j'ai connu Jean, où nous pique-niquions à Aubergenville.

Maintenant, le tragique est devenu uniformément sombre, la tension nerveuse constante. Tout n'est que grisaille, et incessant souci, d'une monotonie affreuse, parce que c'est la monotonie de l'angoisse.

… C'était il y a deux ans. Avec une sensation de vertige, je réalise que deux ans ont passé, et que cela dure toujours. Je classe les mois en années, cela devient du passé ; et alors j'ai la sensation intérieure que mes épaules vont s'écrouler.

Mme Loewe m'a demandé, lorsque nous étions à l'infirmerie en train de déshabiller deux petits jumeaux de 4 ans, nouveaux arrivés : « Eh alors, qu'est-ce que vous en dites ? » J'ai répondu : « Ce n'est pas drôle. » Alors, elle a dit pour m'encourager : « Allez, ne vous en faites pas, nous serons de la même fournée, nous ferons le voyage ensemble. »

Elle a cru que je disais cela parce que je craignais pour moi. Mais elle se trompait. C'est pour les autres, pour tous ceux qui sont arrêtés chaque jour, pour tous ceux qui ont déjà passé par là. Je souffre en pensant à la souffrance des autres. S'il n'y avait que moi, tout serait si facile. Je n'ai jamais pensé à moi, et ce ne serait pas maintenant que je commencerais. Je souffre de la chose en elle-même, de cette monstrueuse organisation des persécutions, de la déportation en elle-même. Comme elle se trompait !

7 h 15

Je viens de recevoir la visite d'un ancien prisonnier du camp du petit Paul, qui m'avait écrit pour me demander ce qu'il pouvait faire pour lui.

111

Il avait les yeux creusés et la maigreur des prisonniers libérés. Sa visite m'a fait plaisir, car c'est un homme qui a souffert, qui a vu et qui comprend. Il ne savait pas que les Allemands s'attaquaient aux femmes et aux enfants. Mais il n'y a pas eu de résistance pour lui faire accepter le fait.

Il m'a raconté que près de Hambourg, dans une ferme, il avait vu arriver une vingtaine de femmes juives déportées de Vienne, de tous les milieux, certaines très bien. Je lui ai demandé comment elles étaient traitées. « Avec une brutalité inouïe. Réveillées à coups de cravache à cinq heures, envoyées aux champs toute la journée, ne rentrant que le soir, couchant dans deux chambres minuscules, sur des lits de planches superposées. Le fermier les brutalisait, la femme avait un peu pitié, et les nourrissait à peu près. »

Qui avait donné le droit à ce fermier de traiter comme des bêtes des êtres humains qui lui étaient sûrement supérieurs dans leur valeur spirituelle ?

Il m'a dit aussi, à propos des fosses de Katyń[1], qu'il avait *assisté* à des scènes exactement semblables. En 41, il est arrivé à son Stalag des milliers de prisonniers russes dans un dénuement effroyable, mourant de faim. Le typhus s'est établi là-dedans ; des centaines mouraient chaque jour. Chaque matin, les Allemands allaient achever à coups de revolver ceux qui ne pouvaient plus se lever. Alors, les malades, pour ne pas subir ce sort, se faisaient soutenir sous les bras par leurs camarades valides pour être dans les rangs. Les Allemands donnaient des coups de crosse sur les mains de ceux qui les

1. En avril 1940, sur ordre de Staline, 4 500 officiers polonais sont délibérément assassinés dans la forêt de Katyń. En avril 1943, après la découverte des victimes, Goebbels fait de ce massacre un des principaux thèmes de la propagande nazie contre l'Union soviétique.

soutenaient. Les malades tombaient, ils les entassaient sur des charrettes, en les dépouillant de leurs bottes et de leurs vêtements, les menaient jusqu'à une fosse où ils les déchargeaient sur des *fourches à fumier*, et les jetaient dans la fosse pêle-mêle avec les cadavres, un peu de chaux vive là-dessus. Et c'était fini.

À peu près le récit du garçon de salle des Enfants-Malades. *Horror ! Horror ! Horror !*

Lettre d'Hélène Berr à sa sœur Denise, le jour de son arrestation

8 mars 1944
19 h 20

Ce matin à 7 h 30, dring ! Je croyais que c'était un pneu !! Vous savez la suite. Mesure individuelle. Henri [Raymond Berr] visé, soi-disant à cause de trop nombreuses interventions il y a dix-huit mois. Petit voyage en auto particulière jusqu'en face, chez Gaston Bébert [le commissariat]. Station dans l'auto. Et arrivée ici, dépôt du VIIIe sous le cirque Rancy ! Marcel [la police française] ce matin était désagréable (à mon avis). Ici, ils sont gentils. Nous attendons. Il y a un chat nommé Négus ! N'avons pas emporté beaucoup d'affaires. Voudrais culotte de ski et bottines (pour maman) et Rucksack pour moi. Petite valise pour maman.

Espère que Denden [Denise] fera attention à sa santé ; le petit Jito [de Jitomir, ville de Russie, surnom donné par Denise à son enfant à naître] serait bien chez mon cousin Paul [sage-femme à Hargeville]. Henri [Raymond Berr] n'a [avec lui] qu'un enfant, Hélène, il y tient. Mais si Denise venait au monde [accouchait], faites tout pour elle.

Que Nickie [Nicole S] aille voir sa belle-mère pour lui raconter. J'ai eu le temps de mettre de côté les livres de la Sorbonne. Vous voyez si je suis soigneuse ! Qu'on tâche de trouver Supponéryl [somnifère] pour Minnie [Antoinette Berr]. Andrée [Bardiau] en a peut-être ? Probable que UG [Ugif] fera son possible. En tout cas, quoi qu'il arrive, nous avons bien l'intention de revenir. Je m'y attendais tellement ! Je n'ai pas encore visité le Gospodje [toilettes, souvenir d'un voyage en Yougoslavie] d'ici. Papa dit qu'il est convenable.

Denden ne doit pas aller visiter Élisée [Reclus]. Minnie s'y oppose absolument. Philippe D. fera le nécessaire pour Auber[genville], comme il le sait. Et parle à Charles et à Lucie [Jacques Berr et Yvonne Schwartz] auxquels nous pensons de tout cœur. Ils pensent que j'ai toujours mon *sense of humor* (témoin mon histoire de Gospodje !) Tout va bien, chérie. À bientôt. Dix mille *kisses*.

Linlin

Dossier pédagogique :
lecture et documents

Une lecture du *Journal* d'Hélène Berr

Présentation

Le *Journal* d'Hélène Berr n'est pas de ces textes que l'on « exploite ». On lit ces pages dans la fièvre, dans l'émotion, dans une forme de recueillement qui exclut, pour aller plus loin avec une classe, les activités les plus convenues.

Aussi ne trouvera-t-on pas dans les pages qui suivent de propositions quant à l'orthographe ou à la grammaire, sinon pour rappeler quelques repères essentiels lorsqu'on lit ce type de texte.

Difficile aussi d'imaginer des sujets de rédaction dans lesquels un « Je » emprunterait l'identité de la jeune femme. On pourra tout juste essayer de recréer un univers, retrouver la musique ou les tableaux, les poèmes et auteurs qui l'ont inspirée, voire sauvée dans les moments de désespoir.

Plutôt qu'une séquence pédagogique traditionnelle, en bonne et due forme, nous proposerons une lecture des pages extraites de ce *Journal*, des liens, des activités aussi variées que possible, permettant à des adolescents de retrouver dans ce livre exceptionnel ce qui fait d'eux des êtres humains qui aiment, ont peur, croient. Ce livre est un lieu et un moment d'échange, de partage. Et ce qui suit a pour but de favoriser le partage.

Des pistes de lecture

● Raconter un quotidien

« *Ceci est mon journal. Le reste se trouve à Aubergenville.* » La première phrase, placée en page de garde, rappelle le caractère intime et personnel de ce type de document. Plus énigmatique est la deuxième phrase. Qu'est-ce que ce reste ? Des lettres ? Des textes ? Nul ne le sait.

Une date, une heure, l'emploi du présent et de la première personne du singulier : les principaux indices de l'écriture diariste sont posés. L'emploi du passé composé montre que cette première page a été écrite après coup, au retour de la visite décrite.

On ne sait rien ou presque de ce qui a précédé ce journal. Secrétaire d'une association juive clandestine, « L'entraide temporaire », Hélène Berr aide au placement des enfants pourchassés chez des nourrices, en Saône-et-Loire. Aucune allusion ne transparaît dans le texte que nous lisons. Quand elle travaillera pour l'Union générale des israélites de France, ce sera dit.

Comme tout *Journal*, celui d'Hélène Berr raconte un quotidien. Allusions à la famille, études, moments passés à jouer ou écouter de la musique, on retrouvera ces instants comme d'autres ici. Ce journal permet aussi de brosser le portrait d'une jeune femme de la bourgeoisie israélite, une étudiante en littérature anglaise qui aime les livres et la musique, une personne sensible, très émotive, passant en peu de temps de la joie extrême, liée à des événements simples, à l'inquiétude ou au désespoir. Lu dans sa continuité, le journal offre des contrastes saisissants, entre deux jours, mais aussi, dans une même journée, entre deux moments.

Le *Journal* commence le 7 avril 1942 par un événement important dans la vie d'une jeune étudiante, éminemment littéraire, sous la troisième République : la visite au grand écrivain. Hélène Berr ne rencontre pas Paul Valéry mais va chercher chez la concierge un exemplaire d'une de ses œuvres qu'il a laissé pour elle.

On découvrira dans cette première page ce qui fait le ton du *Journal*. D'abord une écriture précise, limpide, factuelle mais élégante. Ensuite des indications sur le climat et le lien qui s'établit entre l'émotion de la narratrice et le ciel bleu au-dessus de Paris. Et puis le passage d'une inquiétude, voire d'une peur, à la joie et à une forme de fierté. Hélène Berr lit la dédicace de Paul Valéry et se sent tout à coup confortée ou réconfortée. La jeune femme est une étudiante (presque) comme les autres en cette année 42. À lire cette première page, on ne se doute pas qu'elle est victime des décrets de Vichy et qu'elle n'a plus tous les droits d'une bachelière : elle n'a pas le droit de se présenter à l'agrégation d'anglais, par exemple, alors qu'elle aimerait beaucoup présenter ce concours. Dès le 7 avril, l'arrivée d'un avis de spoliation trouble la jeune fille. Mais pour qu'elle parle plus précisément de la situation d'un pays occupé, sous la botte nazie, on se reportera à la date du 16 avril et à la conversation qu'elle a au Luxembourg avec son ami André Bay qu'elle surnomme Sparkenbroke. La guerre s'invite dans son quotidien, et elle le fera avec beaucoup d'insistance par la suite.

Le *Journal* n'a pas de destinataire précis à son début. Il faut attendre le 25 octobre 1943 (p. 79) pour que celui qui lira ces pages soit désigné : il s'agit de Jean, l'homme qu'elle aime :

« *Je donnerai ces pages à Andrée[1]. Et lorsque je les lui remettrai, je serai obligée d'envisager comme réel et pouvant venir le fait que Jean les lira. Et je ne peux pas m'empêcher alors de sentir que je m'adresse à lui, et de cesser d'écrire à la troisième personne, d'écrire comme lorsque je vous écrivais des lettres, Jean.* »

Cette adresse indirecte à Jean, absent au moment où elle songe à lui, figure dans l'une des plus longues pages du *Journal*. Occasion pour nous de nous arrêter sur l'organisation de ce texte.

• Deux périodes, un silence

Commencé en avril 42, le *Journal* s'interrompt le 28 novembre de la même année. Il reprend en août 43 par une brève page dans laquelle la diariste s'inquiète de ce qui pourrait advenir de ce texte : « *Il y a dix mois que j'ai cessé journal, ce soir je le sors de mon tiroir pour le faire emporter en lieu sûr par Maman. De nouveau, on m'a fait dire de ne pas rester chez moi à la fin de la semaine.* » Le danger devient plus pressant ; les vagues d'arrestations se succèdent et elles visent tous les Juifs, nés étrangers ou français (voir chronologie historique, p. 169-175)

☞ Parmi les activités à envisager avec la classe, on pourra se demander, à l'instar de Patrick Modiano dans *Dora Bruder*, ce qu'Hélène Berr a vécu pendant cette période de silence.
Sans se mettre à sa place, mais plutôt en émettant des hypothèses fondées sur ce qu'elle a évoqué jusque-là, on envisagera une écriture brève, des fragments sur cet automne parisien et les saisons qui le suivent.

1. Andrée Bardiau, cuisinière de la famille Berr. Voir aussi Histoire du manuscrit, annexes p. 211-212.

Un passage du journal évoque cette période de silence :

> *« Personne ne saura jamais ce que cet été et cet automne auront été pour moi. Personne ne le saura, parce que j'ai continué à vivre et à agir, mais il n'y a pas une de mes pensées profondes, une de mes pensées où je me sentais réellement moi, qui n'ait été une source de souffrance. Je n'ai pas encore souffert dans mon corps, et Dieu seul sait si cette épreuve m'attend. Mais dans mon âme, dans mes affections, et du point de vue général, j'ai vécu et je vis dans une peine perpétuelle.*
>
> *Personne ne le saura, pas même ceux qui m'entourent, car je n'en parle pas, ni à Denise, ni à Nicole, ni à Maman même. »*

L'écriture du *Journal* change à tous égards dans cette seconde période. Les pages sont souvent plus longues, la part accordée aux faits se fait plus mince, plus brutale aussi. La réflexion est plus dense, plus intense, voire spirituelle. Elle porte sur le Bien et le Mal, sur la portée des événements qu'elle et les siens subissent, que le pays vit. On le voit aussi à l'écriture, dans le manuscrit. À la graphie aérée de la première partie succède une graphie plus serrée, comme si l'urgence se manifestait là, dans la façon de former les lettres (voir reproduction des pages manuscrites du *Journal*, p. 182-183).

☞ À ce titre, on pourra comparer le premier paragraphe du journal au dernier, daté du 15 février 44 à 7 h 15 (Hélène Berr compte les heures « à l'anglaise », par cycle de douze heures, et non de vingt-quatre). Les derniers paragraphes du *Journal* font allusion à des persécutions ou massacres sur lesquels nous reviendrons. Le dernier mot, « Horreur », répété trois fois

rappelle ce même mot répété trois fois dans *Macbeth*,
deux fois dans la longue nouvelle de Joseph Conrad,
Au cœur des ténèbres, l'une des nombreuses lectures
de la jeune femme.

● Le refus de l'exhibitionnisme

La pudeur d'Hélène Berr est très grande, tout au
long du *Journal*, et notamment quand elle aborde sa vie
sentimentale. Il est en effet difficile de savoir de façon
précise quel sentiment l'unit à Gérard dont il est
question au début du journal. Officiellement, ils sont
fiancés. Le lien amoureux qui la lie à Jean Morawiecki
est plus clair, sans qu'on sache pour autant comment
ils le vivent. Quelques allusions nous permettent de
deviner.

Cette pudeur trouve son écho dans la page du
10 octobre 43 (p. 74). Hélène Berr craint qu'on la
lise parlant de sa « répugnance très grande à se concevoir comme *"quelqu'un qui écrit"*, *parce que pour moi,
peut-être à tort, écrire implique un dédoublement de
la personnalité, sans doute une perte de spontanéité,
une abdication (mais ces choses-là sont peut-être des préjugés)* ». Elle ne prend pas la pose, ne se montre pas en
train d'écrire. Elle va plus loin dans le paragraphe suivant : « *L'idée qu'on puisse écrire pour les autres, pour
recevoir les éloges des autres, me fait horreur.* »

Cette pudeur qu'elle qualifie aussi d'orgueil devrait
parler à des adolescents, même si notre société aime
qui s'exhibe, qui dévoile sentiments ou émotions, voire
plus.

Les adolescents seront en tout cas sensibles à sa
dernière objection : « *Peut-être aussi y a-t-il le sentiment
que "les autres" ne vous comprennent pas à fond, qu'ils*

vous souillent, qu'ils vous mutilent, et qu'on se laisse avilir comme une marchandise. »

☞ Partant d'une recherche sur les « espaces » d'expression de soi aujourd'hui (réseaux participatifs par exemple), on pourra s'interroger avec les élèves sur le plaisir qu'on y trouve, sur les risques aussi que l'on court à s'exposer.

• Le refus de la belle écriture

Le style du *Journal* est, on l'a dit, limpide et élégant, mais il s'attache surtout aux faits, refusant les effets. Un écrivain sert de contre-exemple à la narratrice, Gide, dont elle écrit le 1er novembre 43, au sujet de *L'Immoraliste* : « *Enfin le style me paraît, à tort ou à raison, recherché, prétentieux et vieilli. Il y a des tournures de phrases qui me font sursauter à chaque instant par leur manque de naturel.* » Chercher des effets, se regarder écrire est ce qui la rend réticente à l'idée de tenir un journal.

Par ailleurs, Hélène Berr est une angliciste et sa référence première est Keats, à qui elle aimerait consacrer son travail de thèse. En plus de ce poète, elle lit beaucoup d'Anglo-Saxons, et les Russes. Et parmi les Français, outre Valéry qu'elle admire, elle lit *Les Thibault*, de Martin du Gard, source de nombreuses réflexions. Sa critique de Gide en 1943 prend plus de relief encore de nos jours. Peu de jeunes lisent cet écrivain, coqueluche de son temps pour *Les Nourritures terrestres*, ami des surréalistes qui aimaient ses *Caves du Vatican*, et autre exemple du « grand écrivain » qu'on allait visiter dans son appartement parisien de la rue Vaneau.

- Écrire pour le futur

La première justification du journal apparaît en date du 18 juillet 42, soit deux jours après la grande rafle du Vél d'Hiv' ; c'est le devoir moral (ce « devoir de mémoire » invoqué aujourd'hui de manière incantatoire) qui prévaut : « *Je note les faits, hâtivement, pour ne pas les oublier, parce qu'il ne faut pas oublier.* »

Le 12 septembre, à l'issue d'une journée passée à Aubergenville, elle note aussi : « *Je ne peux plus écrire ce journal parce que je ne m'appartiens plus entièrement. Alors, je note simplement les faits extérieurs, juste pour me rappeler.* »

Le propos est plus net dans ses pages du 10 octobre 43 (p. 75-76) : « *j'ai un devoir à accomplir en écrivant, car il faut que les autres sachent* » Et aussi : « *Il faudrait donc que j'écrive pour pouvoir plus tard montrer aux hommes ce qu'a été cette époque* ».

- Écrire pour un destinataire particulier

La diariste désigne son destinataire en ces jours d'octobre 43 qui sont parmi les plus difficiles pour elle. Elle écrit en effet pour ou à un absent : Jean. À la date du 27 octobre, elle fait de nombreuses allusions à ce qui s'est passé et qu'elle tait, mais aussi à l'absence d'interlocuteurs, de confidents. Ses parents ne peuvent l'être. Ils ne parlent jamais de Jean ni de son avenir. Sa sœur ne sait rien non plus et Françoise Bernheim, son amie, a été déportée le 30 juillet 43. La mère de Jean est seule au courant de sa relation avec le jeune homme, mais elle voit d'un mauvais œil cette jeune femme juive dont les enfants ne seraient pas catholiques.

☞ Peu d'élèves ont idée des préjugés qui existaient à l'époque, (et longtemps encore après la Seconde Guerre mondiale) et une explication sur le tabou du mariage mixte sera nécessaire.

Le véritable destinataire est donc l'absent :

« Je sais pourquoi j'écris ce journal, je sais que je veux qu'on le donne à Jean si je ne suis pas là lorsqu'il reviendra. Je ne veux pas disparaître sans qu'il sache tout ce que j'ai pensé pendant son absence, ou du moins une partie. »

Elle s'adresse à lui à travers ces pages, en fait le confident de ses secrets les mieux gardés :

« Il y a deux parties dans ce journal, je m'en aperçois en relisant le début : il y a la partie que j'écris par devoir, pour conserver des souvenirs de ce qui devra être raconté, et il y a celle qui est écrite pour Jean, pour moi et pour lui.
Cela m'est un bonheur de penser que si je suis prise, Andrée aura gardé ces pages, quelque chose de moi, ce qui m'est le plus précieux, car maintenant je ne tiens plus à rien d'autre qui soit matériel ; ce qu'il faut sauvegarder, c'est son âme et sa mémoire.
Penser que Jean les lira peut-être. Mais je ne veux pas qu'elles soient comme la main de Keats. Je reviendrai, Jean, tu sais, je reviendrai. »

Comme dans une lettre, l'adresse est directe, et le tutoiement traduit la proximité amoureuse. On notera aussi chez quelqu'un d'aussi réservé une forme d'audace dans ce « tu » soudain.

● Pour ceux qui apprendront ce qui s'est passé

Les pages qu'elle consacre à l'avenir sont peu nombreuses mais intenses. On sait à quel point la pose du diariste lui déplaît, et combien elle se soucie peu de lecteurs. Mais le devoir de témoigner, de raconter comme

127

elle l'écrit est très fort chez elle, et sa lucidité quant à son futur jamais démentie à partir de 1943 :

> « Lorsque j'écris "disparaître", je ne pense pas à ma mort, car je veux vivre ; autant qu'il le sera en mon pouvoir. Même déportée, je penserai sans cesse à revenir. Si Dieu ne m'ôte pas la vie, et si, ce qui serait si méchant, et la preuve d'une volonté non plus divine, mais de mal humain, les hommes ne me la prennent pas.
>
> Si cela arrive, si ces lignes sont lues, on verra bien que je m'attendais à mon sort ; pas que je l'aurais accepté d'avance, car je ne sais pas à quel point peut aller ma résistance physique et morale sous le poids de la réalité, mais que je m'y attendais. »

Les pressentiments d'Hélène Berr rappellent ce qu'écrit Anne Frank, sans doute moins clairvoyante sur son avenir et pour cause : Hélène Berr a vingt et un ans, Anne Frank treize. Si toutes deux ont connu une jeunesse très protégée, ce que voit et vit Hélène Berr dans le Paris de l'Occupation lui ôte tout doute sur le sort qui attend les Juifs.

> « Maintenant, je suis dans le désert.
>
> Personne ne saura jamais ce que cet été et cet automne auront été pour moi. Personne ne le saura, parce que j'ai continué à vivre et à agir, mais il n'y a pas une de mes pensées profondes, une de mes pensées où je me sentais réellement moi, qui n'ait été une source de souffrance. Je n'ai pas encore souffert dans mon corps, et Dieu seul sait si cette épreuve m'attend. Mais dans mon âme, dans mes affections, et du point de vue général, j'ai vécu et je vis dans une peine perpétuelle. »

Ce court extrait mérite qu'on s'y arrête, même rapidement, en faisant le lien avec le récit *Les Disparus*, de Daniel Mendelsohn.

Mendelsohn est parti sur les traces d'une partie de sa famille, exterminée en Galicie par les nazis, pour savoir qui ils étaient et comment ils avaient vécu. Dans une page du livre, il évoque cette difficulté, voire cette impossibilité à dire, à rendre l'intensité d'un moment vécu par quelqu'un qui va mourir, et dans quelles circonstances, que l'on retrouve aussi dans de nombreuses pages de *Dora Bruder*, le récit de Patrick Modiano. L'écrivain américain note ainsi :

> « J'ai souvent essayé d'imaginer ce qui avait bien pu lui arriver, même si, chaque fois que je le fais, je me rends compte à quel point mes ressources sont limitées. Combien pouvons-nous savoir du passé et de ceux qui en ont disparu ? Nous pouvons lire les livres et parler à ceux qui y étaient. Nous pouvons regarder les photos. Nous pouvons aller dans les endroits où ont vécu ces gens, où ces choses se sont passées. Quelqu'un peut nous dire, cela a eu lieu tel ou tel jour, je pense qu'elle allait retrouver des amies, elle était blonde. Mais tout cela reste inévitablement approximatif. »

Bien des récits ou romans jeunesse, à visée pédagogique ou « citoyenne », s'efforcent de reconstituer le parcours d'enfants ou d'adolescents juifs pendant la guerre. Hélène Berr à sa façon, et Daniel Mendelsohn plus de soixante ans après, rappellent la vanité de toute figuration :

> « Et même s'il existait aujourd'hui une photographie de la ville prise le 28 octobre 1941, le jour où Ruchele a été arrêtée, cette photo pourrait-elle me donner une impression précise de ce qu'elle a pu voir en marchant jusqu'au Dom Katolicki ? Pas vraiment (nous ne savons même pas, bien entendu, quel itinéraire elle a suivi, si elle avait la tête baissée ou bien droite pour essayer de croiser un dernier regard ; nous ne savons même pas si elle savait que ce serait sa dernière promenade dans la ville). Il y a donc un problème de visualisation. Et qu'en est-il des autres sens ? »

À Washington, au Musée de la Shoah, un wagon immobile est censé donner une idée de ce moyen de transport tel que les nazis l'utilisaient. Mais, rappelle aussi Mendelsohn dans son livre, comment ce wagon existe-t-il sans la peur, sans les sensations et perceptions qu'éprouvaient ceux qui allaient voyager plusieurs jours à l'intérieur ? Toute reconstitution est vouée à l'échec ou, pire, à l'impudeur de la fiction.

● Un écrivain en devenir

L'écriture du *Journal* ne doit rien au hasard. Si son sort n'avait été aussi tragique, si elle était rentrée des camps, Hélène Berr serait probablement devenue écrivain. Outre le *Journal*, des textes écrits quand elle avait quinze ou seize ans, journaux de voyage, nouvelle écrite à quatre mains montrent quelle maîtrise était déjà la sienne. On sent encore qu'elle s'inscrit dans un cadre classique, quasi scolaire : la description est soignée, le lexique fourni et précis. Mais les qualités d'écriture tiennent à la mise en forme, à l'usage des images, au choix dans la narration (voir textes de jeunesse d'Hélène Berr, annexes p. 185-194).

☞ On pourra mettre en relation certaines de ces pages avec celles qui, dans le *Journal*, décrivent un paysage, et surtout une lumière.

À la fin du cahier rédigé par la jeune fille dans l'exemplaire offert à son père figure la mention « livre achevé d'imprimer ». Elle clôt « Comme dans un conte de fées », qui se lit comme une boutade d'adolescente qui aime les livres, mais est aussi une manière pour la jeune fille de prendre date. Nul doute qu'elle aurait aimé lire cette mention à la fin de son *Journal* et surtout de livres qu'elle aurait écrits. Ce qu'elle note

le 27 octobre 43 pourrait être pris pour de la forfan-
terie :

> « Est-ce que beaucoup de gens auront eu conscience à
> 22 ans qu'ils pouvaient brusquement perdre toutes les pos-
> sibilités qu'ils sentaient en eux – et je n'éprouve aucune
> timidité à dire que j'en sens en moi d'immenses, puisque je
> les considère comme un don qui m'est fait, et pas comme
> une propriété –, que tout pourrait leur être ôté, et ne pas se
> révolter ? »

Beau passage qui mêle à la fois l'orgueil et la modes-
tie. Hélène Berr se sait au début de quelque chose,
d'une vie d'écrivain peut-être. Elle est lucide sur ses
capacités mais ne cherche pas à s'en glorifier. C'est une
promesse qui renforce son sentiment de révolte face
au sort indigne qui lui est fait.

• Portrait d'une jeune femme entre les lignes

Il est diverses manières de brosser le portrait d'Hélène
Berr. Si cette jeune femme nous touche, c'est d'abord
par son aptitude à la joie de vivre, telle qu'on la ressent
dans les pages consacrées à Aubergenville ou à Paris.
Elle nous touche aussi par sa sensibilité qui la fait passer
en quelques lignes de la joie au désespoir, du sentiment
d'absolu au pressentiment du pire. Sa pudeur, sa fierté,
son refus de la lâcheté sur lequel nous reviendrons
sont d'autres traits qui devraient toucher des adolescents. Mais aussi et enfin une forme d'altruisme qui
transparaît par exemple dans un passage comme celui
qui suit, en octobre 43 :

> « Mardi matin, 19 octobre
> [...] Plus on a d'attachements, de personnes qui dépendent de
> vous parce qu'on les aime, ou simplement parce qu'on les
> connaît, plus la souffrance est multipliée. Souffrir pour soi
> n'est rien, jamais je n'émettrai une plainte à mon sujet, car
> toute souffrance personnelle, pour le moment, c'est une victoire

à remporter sur moi. Mais quelle angoisse pour les autres, pour
les proches, et pour les autres.
Je comprends le tourment de Maman, sa souffrance est décu-
plée, elle est multipliée par le nombre de vies qui dépendent
d'elle. »

« Une santé et une allégresse sans mélange ne peuvent être
que le fait de l'égoïste. L'homme qui songe beaucoup à ses
semblables ne peut jamais être joyeux. »

Keats.

Ce souci d'autrui, évoqué dans la *Lettre à Bailey* du
poète anglais, souci qui la traverse, vaut pour les proches
comme pour les étrangers, les autres, dont elle craint
l'indifférence en ces temps de persécution.

☞ Une réflexion commune avec la classe ne sera pas
inutile sur cette citation de Keats, qui d'une façon ou
d'une autre intrigue. Chez des adolescents, l'altérité
ou le souci de l'autre ne va pas de soi, même si confu-
sément, c'est une valeur essentielle.

LE BONHEUR D'ÊTRE ET DE VIVRE

• La relation avec Jean : la découverte de
l'amour et la séparation

Le *Journal* n'est pas seulement le dernier témoignage
d'une femme qui va disparaître. Il est aussi, voire d'abord
l'histoire d'une femme sensible, cultivée et amoureuse.
À travers les pages se dessine un portrait que l'on
pourra reconstituer au fil des lectures et nous en avons
déjà décliné quelques aspects.

Hélène Berr est une jeune femme pudique, secrète
même, et l'on en apprend très peu sur ses amours. Les
allusions à Gérard, au début du *Journal*, et notamment les
pages du 15 avril et du jeudi 18 juin (p. 22-23 et 35-36),

montrent combien elle a du mal à se situer dans la relation, combien elle craint de faire souffrir en prenant une décision. Ils ne se comprennent pas : « *Il me parle de l'enthousiasme de mes cartes. C'est pour cela que sa voie diverge de la mienne. Mais ne comprend-il pas que si je lui envoie des "descriptions de paysages", c'est parce que je ne peux pas parler d'autre chose, de mes sentiments qui ne sont pas sûrs comme les siens ? Mais cela, je ne peux pas le lui expliquer non plus.* »

Le découpage du texte en courts paragraphes dans la page du jeudi mérite qu'on s'y arrête, d'autant que ce découpage va de pair avec l'emploi de phrases interrogatives. Tout traduit le doute, l'hésitation, le scrupule.

La rencontre avec Jean semble un événement ordinaire la première fois, et on sent en même temps que quelque chose se passe : ses yeux gris, le goût commun pour la musique, l'air de « *prince slave* » qu'elle lui trouve sont des indices qui reviendront. Le 30 avril (p. 26) elle parle d'un après midi merveilleux et de la simplicité de ce moment et le 7 mai (p. 27), elle partage avec lui une promenade au Luxembourg.

On en apprend un peu plus sur ce jeune homme et on note ainsi sa « *voix un peu haute* », sa timidité puisque regardé par Hélène, il détourne la tête.

Lorsqu'ils se revoient le 15 juin, elle commence sa page de journal par une très belle phrase qui résume ce texte : « *La vie continue à être étrangement sordide et étrangement belle. Il s'y passe maintenant, pour moi, les choses que j'ai toujours crues réservées au monde des romans.* » Elle le voit le soir même mais rien de précis n'est encore noué. Le lien avec Gérard n'est pas rompu. Elle met fin à cette relation le 27 juillet et le 3 août, son amour pour Jean semble clairement dit, avec l'allusion à une journée passée en sa compagnie à Aubergenville.

La page du 15 août (p. 61-62) évoque une autre journée passée avec lui à Aubergenville. Il lui donne les disques de *L'Amour et la vie d'une femme*, de Schumann, œuvre prémonitoire ou symbolique, évoquant les étapes de l'amour jusqu'à l'absence, et le 15 octobre (p. 68), elle raconte les moments intenses qu'ils vivent ensemble, et une promenade dans Paris. Les derniers jours d'octobre semblent aussi intenses, même si un pressentiment affecte la jeune femme :

> « *Dans la foule à la gare, j'ai eu brusquement peur de le perdre. À ce moment, il m'a pris le bras. Je ne pouvais pas lui expliquer pourquoi j'étais si reconnaissante de ce simple geste.* »

Le 29 (p. 70), avec l'annonce de son départ, un tournant s'opère et le 8 novembre (p. 70), ils font une dernière promenade sur les Champs-Élysées, avant son départ. C'est la dernière page du *Journal*, avant le long silence qui dure jusqu'en août 1943.

Sa solitude s'amplifie. Elle ne dit rien aux siens, et se sent blessée d'être considérée par la mère de Jean comme un simple « flirt ». L'absence de Jean lui est douloureuse et pourtant elle constate, le 24 novembre :

> « *Il y a aujourd'hui un an que Jean est parti. Un an que je suis rentrée pour trouver le bouquet d'œillets panachés. Depuis samedi, anniversaire de la dernière fois où il est venu, et où j'ai revécu depuis le matin tous les détails de cette dernière journée, j'ai comme doublé un cap, j'ai vaincu l'obsession des souvenirs que chaque anniversaire faisait surgir.* »

Le 10 janvier 1944 (p. 103), songeant à l'avenir, elle pressent toutes les incertitudes des retrouvailles. Qui a lu *La Douleur*, de Marguerite Duras, ou *La Trêve*, de Primo Levi, sait combien tout retour après de telles épreuves est difficile, incertain. C'est aussi l'épreuve d'Ulysse rentrant à Ithaque, telle que l'évoque Milan Kundera dans *L'Ignorance*. Ainsi Hélène Berr écrit-elle :

> « *Irai-je jusqu'au bout ? La question devient angoissante. Irons-nous jusqu'au bout ?*
>
> *[…] Je crains maintenant pour Jean, car sa vie sera exposée. […] Mais comme son retour sera différent de ce que j'avais imaginé. Il n'y aura pas de coup de sonnette à la porte. Je n'aurai pas à me demander dans quelle pièce je l'accueillerai. Serai-je ici ? Même au cas où rien ne me sera arrivé, dans ce grand bouleversement qui secouera la France entière, où serons-nous ?* »

Ce sera l'une des dernières allusions importantes à Jean, dans le *Journal*. La dernière, le 15 février, traduit l'angoisse profonde qui étreint la jeune femme :

> « *L'année dernière, à cette époque, j'écrivais à Jean des lettres pleines d'une étrange exaltation, à propos de Résurrection. Je lui en avais même transcrit une page, celle où Tolstoï cherche les raisons de tout ce mal. Maintenant, je ne peux même plus lui en parler. L'autre jour, chez Andrée, j'ai retrouvé tout mon journal, commencé en cette année qui avait été à la fois si tragique et si exaltante, celle où j'ai connu Jean, où nous pique-niquions à Aubergenville.*
>
> *Maintenant, le tragique est devenu uniformément sombre, la tension nerveuse constante. Tout n'est que grisaille, et incessant souci, d'une monotonie affreuse, parce que c'est la monotonie de l'angoisse.*
>
> *C'était il y a deux ans. Avec une sensation de vertige, je réalise que deux ans ont passé, et que cela dure toujours. Je classe les mois en années, cela devient du passé ; et alors j'ai la sensation intérieure que mes épaules vont s'écrouler.* »

• La famille

Les allusions et références à la famille ne sont pas les plus parlantes du *Journal*. Elles sont intéressantes pour mettre en relief les éléments d'un bonheur que rien n'aurait dû troubler. L'affection de ses parents, les dimanches à Aubergenville, les promenades dans Paris, les après-midi consacrés à la musique écoutée ou jouée, tout est fait pour que cette jeune femme reste protégée de toutes les épreuves. L'arrestation de son père le 23 juin 42 est une première entaille à ce bonheur. Face aux événements, quand la menace se fait plus vive, le père et la mère sont en désaccord et la jeune femme est hésitante et en souffre :

> « Je n'ai guère dormi cette nuit ; hier soir, lorsque je suis rentrée, Papa a annoncé sa résolution de ne plus coucher ici. Entre Papa qui est maintenant fixé dans une décision qui se cristallise depuis de longs jours, et sans doute justifiée par les faits, et Maman qui, dans son état de fatigue, ne pourra pas le supporter, je suis divisée. Qui aura eu raison ? Papa, qui voit les faits, ou Maman, qui sent ? Maman est-elle inconsciente et Papa conscient ? Qui sait. La vérité est que tout le souci et la fatigue de cette vie vont retomber sur Maman, toujours sur la femme. Maman a eu une crise de larmes, comme si elle était brisée brusquement, avant le dîner ; c'est vrai, depuis des mois elle supporte tout pour tous, et n'a pas le droit de se laisser aller. Elle est hypertendue. Mon Dieu ! Que va-t-il advenir de tout cela ?
> Sacrifier aussi le peu de vie familiale qui restait. Nos soirées ensemble. D'un autre côté, cela doit-il entrer en balance avec la menace, si cette menace est vraie ? Papa a déjà vu ce que c'était : je comprends sa décision. Mais je comprends aussi la lassitude extrême de Maman. »

Les débats n'ont pas manqué, notamment autour de l'histoire d'Anne Frank, souvent vénérée, héroïsée, perçue comme l'incarnation de la jeune Juive persécutée par les nazis. Or dans un texte dérangeant et iconoclaste tiré du *Cœur conscient*[1], Bruno Bettelheim, le

---

1. « Les fluctuations du prix de la vie », p. 325-327, in *Le Cœur conscient*, traduit de l'américain par Laure Casseau et Georges Liébert Casse, Hachette, coll. « Pluriel », 1981.

psychanalyste d'origine autrichienne, lui-même passé par les camps de concentration, montre qu'une séparation de la famille Frank, à l'instar de ce qui se passait dans de nombreux foyers juifs en Europe de l'Ouest, aurait peut-être permis aux Frank de survivre. Ces pages polémiques méritent réflexion, même si le point de vue de Bettelheim dérange. Difficile, cela dit, de la mener avec des élèves.

UNE RELATION ÉTROITE AVEC LA NATURE ET L'ESPACE

• Aubergenville

La maison familiale d'Aubergenville, à quarante kilomètres à l'ouest de Paris, est un des lieux de prédilection d'Hélène Berr. Elle s'y rendait le dimanche en famille et cette résidence secondaire sert déjà de cadre à « La Garden Party », nouvelle écrite avec Odile Neuburger en 1935 (voir extraits des textes de jeunesse d'Hélène Berr, p. 185-194). On la découvre donc à travers son regard le 8 avril. Cette première évocation permet à nouveau de percevoir l'émotivité de la diariste, sa grande sensibilité :

> « Je rentre d'Aubergenville. Tellement abreuvée de grand air, de soleil brillant, de vent, de giboulées, de fatigue et de plaisir que je ne sais plus où j'en suis. Je sais simplement que j'ai eu une crise de dépression, avant le dîner, dans la chambre de Maman, sans cause normale ou apparente, mais dont l'origine était le chagrin de voir finir cette journée merveilleuse, d'être brusquement séparée de son atmosphère. Je n'ai jamais pu m'habituer à ce que les choses agréables aient une fin. »

L'ambivalence est là, le brusque passage du bonheur au pressentiment de ce qui s'achève ou à la souffrance, qui la caractérise et la rend sans doute si proche de nous.

☞ Ce simple passage pourrait servir de point d'appui à une écriture brève sur le paysage et les états d'âme qu'il suscite, en s'appuyant sur les notations concernant le climat, les variations qu'il subit en quelques instants.

Mais Aubergenville est aussi synonyme de vie simple, de plaisirs élémentaires comme l'épluchage des légumes, la vaisselle ou la cueillette des fruits.

☞ Ces « plaisirs minuscules » à la Delerm, on pourra les relever avec les élèves, notamment dans les pages écrites le 8 avril 42, le 11 avril ou le 15 août de la même année. Voire proposer une écriture brève les reprenant.

On s'arrêtera plus longuement sur les passages descriptifs, qui révèlent le talent d'écrivain, mettent en valeur un regard de peintre chez Hélène Berr. En effet, à l'instar du poète Verlaine, ou des peintre impressionnistes, elle attache une grande importance à l'eau et au soleil :

> « *La journée défile par bribes dans mon esprit abruti, je revois le départ à la gare par une pluie battante et un ciel gris [...] la première promenade dans le jardin dans l'herbe mouillée, sous la pluie, et la brusque apparition du ciel bleu ensoleillé à partir du petit champ.* »

Cette giboulée de printemps est la marque de ce jour qui se prolonge avec « *la promenade sur la route du plateau, en plein soleil, l'averse drue et brève, ma conversation avec Jean Pineau, le retour vers le village où nous avons retrouvé Jacques Clère, la promenade jusqu'à Nézel, sous un ciel lavé, et un horizon de plus en plus large et lumineux* ».

☞ On s'arrêtera sur la façon dont elle procède pour énumérer ces bribes. L'énumération de petits faits rend l'atmosphère de cette journée suivie de quelques autres qu'on pourra étudier un peu plus précisément.

• Le goût de la description

L'art d'Hélène Berr, son sens de la description poétique, apparaît en plein dans ces pages consacrées à Aubergenville. L'eau et le soleil créent l'harmonie, comme dans les plus belles toiles impressionnistes peintes non loin de là ; les couleurs nuancent aussi. De ces jeux subtils, la narratrice est consciente :

> « Brusquement, en renversant la tête, pour voir le monde à l'envers, j'ai réalisé l'harmonie merveilleuse des couleurs du paysage qui s'étendait devant moi, le bleu du ciel, le bleu doux des collines, le rose, le sombre et les verts embrumés des champs, les bruns et les ocres tranquilles des toits, le gris paisible du clocher, tout baignés de douceur lumineuse. Seule l'herbe fraîche et verte à mes pieds mettait une note plus crue, comme si elle seule était vivante dans ce paysage de rêve. Je me suis dit : "Sur un tableau, on croirait ce vert irréel, avec tous ces coloris de pastel." Mais c'était vrai. »

À l'instar de Nerval, Verlaine ou Proust, Hélène Berr montre combien la relation avec le paysage, avec le cadre naturel renvoie à une image forte, idéale, combien les signes nous parlent :

> « Ce matin, en arrivant, après avoir épluché les pommes de terre, je me suis sauvée au jardin, sûre de la joie qui m'attendait. J'ai retrouvé les sensations de l'été dernier, fraîches et neuves, qui m'attendaient comme des amies. Le foudroiement de lumière qui émane du potager, l'allégresse qui accompagne la montée triomphante dans le soleil matinal, la joie à chaque instant renouvelée d'une découverte, le parfum subtil des buis

en fleurs, le bourdonnement des abeilles, l'apparition soudaine d'un papillon au vol hésitant et un peu ivre. Tout cela, je le reconnaissais, avec une joie singulière. »

Le changement typographique pour le verbe "reconnaître" est une façon d'insister sur ces retrouvailles avec un lieu familier, et pourtant toujours neuf.

> ☞ Si l'on veut prolonger avec la classe, on fera un relevé des champs lexicaux décrivant les sensations visuelles, auditives et olfactives. On mettra en relief la précision de ces « touches » juxtaposées dans l'énumération. On s'attachera à ce sens du détail qui fait sens, donne sa force à la description.

Un autre dimanche, elle se rend à Aubergenville. C'est le 28 juin 42 (p. 45) et elle n'en parle que le lundi 29. Entre-temps, son père a été arrêté et il est interné à Drancy. La journée à la campagne n'a pas la même tonalité, le jardin qu'elle personnifie, qu'elle retrouvait comme un ami, ne la touche pas :

« Quand j'y repense maintenant, je m'aperçois que nous étions complètement isolées dans les framboisiers, et que le reste du jardin continuait à vivre de sa vie à part, qu'il doit avoir quand nous ne sommes pas là. Je n'arrive plus à communier avec lui, à sentir qu'il m'aime et qu'il m'accueille. Il est presque devenu indifférent. »

Les couleurs elles-mêmes ne la touchent pas, sinon pour un souvenir heureux, celui d'une écriture à quatre mains : « Les rosiers parasols étaient en fleurs, les rouges et les roses. Cela m'a rappelé la garden-party. »

Difficile à partir de juin 42 de ne pas « emmener ses idées » à Aubergenville. Pourtant, comme c'est souvent le cas, Aubergenville reste synonyme d'un profond bonheur. C'est le lieu de l'amour pour Jean, la fusion parfaite entre le paysage et l'être, comme on le voit dans les pages du 3 et du 15 août (p. 60-61). Dans cette dernière page, comme dans celle du 8 avril, tout ce qui fait le bonheur à Aubergenville revient, jusque la peur de la fin, du moment où tout s'arrête :

« *En arrivant, nous avons commencé par éplucher les pommes de terre, puis je suis allée avec J. M. cueillir des fruits dans le verger là-haut. Lorsque j'y repense, j'ai l'impression d'un enchantement. L'herbe inondée de rosée, le ciel bleu et le soleil qui faisait étinceler les gouttes de rosée, et la joie qui m'inondait. Le verger a toujours produit cette impression sur moi. Mais, ce matin-là, j'étais complètement heureuse.*

Après le déjeuner, nous sommes allés nous promener sur le plateau, vers Bazemont.

Mais, tout l'après-midi, j'ai été obsédée par l'heure, par l'impression que cela allait finir. Je lui ai fait visiter la maison juste avant de partir »

Les mêmes perceptions reviennent le 30 août :

« *Mon beau dimanche. Cela me fait penser à Un beau dimanche anglais de Kipling.*

J'aspirais à cette journée à Aubergenville, depuis quinze jours.

Il y avait Jean Pineau, Job et Lancelot of the Lake[1]*. Le miracle s'est reproduit. Pourquoi cesserait-il ? Dans le verger lumineux, là-haut, après le déjeuner sur le plateau dans le vent, et le retour dans le train.* »

L'une des dernières allusions à Aubergenville consiste en quelques phrases nominales :

« *Aubergenville.*

Job, cueillette de mûres.

Il y a un homme qui s'est suicidé dans la chambre voisine de Papa. »

Toutes les contradictions et tensions traduites en peu de mots. Les pressentiments, les craintes, le sentiment

1. Jean Morawiecki.

141

d'une urgence sont là, qui ne la quitteront plus et dont on trouve la traduction dans la disposition en courts paragraphes de la journée du 12 septembre, qu'elle conclut de manière laconique.

On n'entrera pas dans le détail de ces notations avec des élèves. Il est cependant intéressant de s'arrêter à cette ambivalence qui traverse le journal, au passage du plus intense bonheur au pressentiment du pire.

📖 On pourra lire à voix haute, dans la continuité, les pages consacrées à Aubergenville. Elles permettent de voir comment l'écrivain qu'elle aurait été se forme, quelle idée du bonheur elle se forge, quel lien s'établit chez elle comme chez bien des êtres sensibles entre paysage et état d'âme, paysage et sentiment amoureux.

● Paris

La capitale occupe une place de choix dans l'univers, le quotidien et le *Journal* d'Hélène Berr. On pourra bien sûr recenser les lieux qu'elle habite, fréquente, et le plan de Paris (voir cartes en annexe, p. 206-209) est à cet égard un outil que nous ne négligerons pas. Intéressons-nous plutôt, comme à propos d'Aubergenville, à la place que prend la ville dans son cœur, à l'espace poétique et sentimental qu'elle représente. Il en est question dès la première page, lorsqu'elle se rend rue de Villejust chez Paul Valéry, puis descend la colline de Chaillot pour rentrer chez elle, près du Champ de Mars. Le 16 avril, après une petite opération au doigt, elle est dans son Paris :

« *J'ai ensuite descendu le boulevard Saint-Michel inondé de soleil, plein de monde, retrouvant ma joie familière, mer-*

*veilleuse, en approchant de la rue Soufflot. À partir de la rue
Soufflot, jusqu'au boulevard Saint-Germain, je suis en territoire
enchanté. »*

De nouveau revient le thème de la lumière, du soleil,
et celui de retrouvailles avec un espace qu'elle aime.

☞ On pourra établir le parallèle, à travers de simples
passages, avec ce qu'elle écrit d'Aubergenville.
Le territoire enchanté qu'évoque Hélène Berr est
un Quartier latin qui n'existe hélas plus, mais dont
on reconnaît quelques éléments dans le jardin du
Luxembourg, lui aussi défini par l'eau et le soleil.
Elle s'y trouve ce même 16 avril en compagnie de
son ami André Bay : *« [...] je n'ai plus qu'un souvenir
de la fascination qu'exerçait sur moi l'étincellement de
l'eau sous le soleil, le clapotis léger et les rides qui
étaient pleines de joie, la courbe gracieuse des petits
voiliers sous le vent, et par-dessus tout, le grand ciel bleu
frissonnant. Autour de moi, il y avait une foule d'enfants
et de grandes personnes. Mais c'était l'eau étincelante,
dansante qui m'attirait. »*
Partant de photos de Paris (parcs, bords de Seine,
lieux « lumineux ») ou de sa campagne environnante,
on demandera à la classe de décrire le lieu et l'atmosphère qui y règne, en partant de perceptions audi-
tives ou visuelles. Quelques lignes suffisent pour ce
faire.

Le jardin est aussi le lieu de la rencontre avec Jean,
après les cours. Elle y trouve le *« silence et l'ombre »* qui
l'apaisent. La crainte est là, que l'amour soit illusoire,
que tout bascule très vite. Et cela se sent un peu le
14 septembre quand elle se promène dans ce même
Quartier latin avec Jean :

« C'est lorsque je ne prévois pas les choses qu'elles sont les plus belles. Toute ma vie, je me souviendrai de cet après-midi, si rempli. Je suis allée avec lui à Saint-Séverin, puis nous avons erré sur les quais, nous nous sommes assis dans le petit jardin qui est derrière Notre-Dame. Il y avait une paix infinie.

Mais nous avons été chassés par le gardien, à cause de mon étoile. Comme j'étais avec lui, je n'ai pas réalisé cette blessure et nous avons continué à marcher sur les quais.

À la fin, l'orage qui menaçait a éclaté. C'est de cet orage que je me souviendrai, du bruit des cataractes de pluie qui déferlaient des marches des Tuileries, du ciel sombre, et des éclairs roses, je serais restée des siècles ainsi. ».

La ville qui, par ailleurs, est celle des interdictions, des persécutions, des rafles – on le verra plus loin – est l'espace que l'on se figure photographié par Lartigue ou Kertesz, une ville qui décline la gamme des gris, une ville ponctuée de lieux, de monuments qui lui font oublier les pires tourments :

« Nicole et moi avions chacune quatre enfants à promener dans Paris de neuf heures à onze heures. Mon trajet était Palais-Royal-rue Claude-Bernard. Je leur ai montré le Louvre sur toutes ses façades. Je m'enthousiasmais moi-même. Du pont des Arts, j'ai regardé le soleil percer la brume grise, comme une promesse de joie. »

Mais c'est bien sûr en compagnie de Jean que ce bonheur de la promenade est le plus vif, même quand le moment de la séparation approche :

« Je l'ai rencontré rue de l'Odéon. Il perdait son temps depuis une heure aussi ! Nous avons marché, le soleil couchant dorait tout le vieux Paris. C'était une très belle soirée d'octobre. Nous nous sommes accoudés sur le quai près du pont des Arts. Tout frémissait, les feuilles des peupliers, et même l'air. Lorsque je suis rentrée seule, le cours la Reine était sombre, la nuit s'y était déjà logée alors que le ciel était tout rose. ».

Lorsqu'elle reprend le *Journal* en novembre 43, alors que Jean est parti depuis longtemps, les quais de la Seine lui rappellent ces moments de bonheur :

> « J'ai marché aujourd'hui, marché toute la journée. Je suis revenue à pied de ma leçon d'allemand par la rue Saint-Lazare, la rue La Boétie, Miromesnil, l'avenue Marigny et les berges de la Seine.
>
> J'ai marché tout au bord de l'eau, qui a eu son effet magique sur moi, me calmant, me berçant, sans me faire oublier, mais en rafraîchissant ma tête souvent surchargée. Il n'y avait personne. Deux péniches ont passé lentement, sans un bruit, seul le léger clapotis des longues ondes transversales mises en mouvement par le sillage du bateau, et qui venaient mourir sur la berge. »

☞ Des passages comme celui-là méritent qu'on s'y arrête, pour comparer avec ceux qui précèdent et montrer comment la solitude d'Hélène Berr trouve écho dans le silence des lieux. Pour mettre en relief le rôle de l'eau dans son univers.

☞ On peut imaginer une réflexion sur l'élément qui incarne le mieux l'identité de chacun : si certains élèves se sentent attirés par l'eau, combien d'autres préféreront le feu ou l'air. Question de sensibilité, d'âge aussi.

UNE CULTURE REÇUE ET VÉCUE

• Musique

La présence très forte de la musique et de la littérature dans le *Journal* est révélatrice du monde, de la classe sociale à laquelle elle appartenait, haute bourgeoisie cultivée, ancrée dans la tradition française la plus ancienne, et de la sensibilité d'Hélène Berr.

Étudiante en littérature anglaise, elle préparait l'agrégation dans cette langue au moment où les décrets antisémites de Vichy lui ont fermé les portes de l'Université. Jouer ou écouter de la musique ne lui était heureusement pas impossible dans un cadre privé.

On a vu combien la musique était liée, également, à la présence amoureuse de Jean. Le disque de Schumann offert le 5 octobre amplifie ce qu'elle a connu avec lui dès la rencontre du 30 avril 42.

☞ En écho à un travail sur la peinture impressionniste ou sur la photo représentant Paris, on pourra demander aux élèves de constituer un florilège musical permettant de reconstituer l'univers sonore de la jeune femme.

Après le départ de Jean, la musique qu'elle écoute devient celle d'un amour lointain, d'une absence, et il la renvoie douloureusement à ce manque, comme ce 31 octobre 43 :

« Nous venons de déchiffrer un quatuor, le VII de Beethoven. Annick était venue. Nous avions beau le bâcler, la mélodie intérieure, l'andante, me soulevaient profondément, complètement. Maintenant, il me semble que mon âme est devenue immense, je suis pleine d'échos, et aussi d'une étrange envie de pleurer. Il y avait trop longtemps que je n'en avais entendu. J'appelle Jean de tout mon cœur. C'est avec lui que j'ai appris à connaître les quatuors, entendre avec lui. »

● Littérature

Grande lectrice, Hélène Berr aime avant tout les écrivains anglais. On a vu qu'elle surnommait ses amis de noms tirés de romans de Charles Morgan, par exemple.

La dernière page de son *Journal*, ce « Horror » répété trois fois fait écho au *Macbeth* de Shakespeare, et à Conrad dont elle a lu *Au cœur des ténèbres*. Il est difficile, pour des élèves de collège, voire de lycée, de mesurer la place qu'occupe la littérature pour une jeune femme de vingt et un ans. Ils s'en font une vague idée, car les livres sortent quelque peu de leur champ. On s'arrêtera simplement à l'idée que les grandes œuvres l'aident à se forger une identité d'écrivain et à traverser les épreuves douloureuses. Les textes de jeunesse qu'on lira comme des signes d'une précocité rappellent ce qu'elle doit à des romancières comme Katherine Mansfield dont elle emprunte le titre de *Garden Party*. Ses journaux de voyage, imprégnés de culture classique, de références aux mythes et légendes sont de premiers indices (voir extraits des textes de jeunesse d'Hélène Berr, p. 187-189).

Dans le *Journal*, son rejet de la belle écriture à la Gide fait écho à sa vision du journal comme texte de témoignage, dans lequel elle s'efface progressivement (ou souhaite le faire) pour rendre compte des faits. Elle n'aime pas *L'Immoraliste* et n'arrive pas à saisir le sens de ses livres « *parce qu'il est à peine esquissé* », et que « *le problème n'est pas clairement posé* ». Plus clairement, elle ne supporte pas sa philosophie : « *il y a quelque chose de vieux, de pas spontané, de trop réfléchi, d'égoïste dans son désir de jouir de tout* ». Mais le pire, on l'a vu, tient à son style artificiel, compassé. Il est difficile d'aborder ces questions avec des élèves qui sans doute n'ont pas lu Gide, notamment en collège.

La proximité avec le romancier Tolstoï est plus grande, et sans doute plus en rapport avec ce qu'elle vit :

> « *Tout le temps, à l'arrière-plan de ma pensée, il y a les pages de Résurrection, du deuxième volume où l'on décrit le voyage des déportés. Cela me réconforte presque (étrange réconfort),*

de savoir que quelqu'un d'autre, et Tolstoï, a connu et écrit des choses pareilles. Parce que nous sommes si isolés parmi les autres, notre souffrance particulière même crée entre les autres et nous une barrière, qui fait que notre expérience demeure incommunicable, sans précédent et sans attaches dans le reste de l'expérience du monde. Après, cette impression s'évanouira, car on saura. »

Les écrivains guident la jeune femme, l'accompagnent et parlant d'eux, souvent, elle brosse son autoportrait. C'est en ce sens qu'on attirera l'attention des élèves sur eux :

« Keats est le poète, l'écrivain, et l'être humain avec lequel je communique le plus immédiatement et le plus complètement. Je suis sûre que j'arriverais à le comprendre très bien.
Ce matin (mercredi), j'ai copié des phrases de Keats qui pourraient servir de sujet à des essais, à des pages où je mettrais tout de moi-même.
Hier soir, j'ai presque fini Les Thibault. Jacques me hante, c'est si triste, sa fin, et pourtant si inévitable. Ce livre est beau, car il a la beauté de la réalité, comme Shakespeare ; c'est à ce propos que je voudrais écrire sur la phrase de Keats : « L'excellence d'un art, c'est l'intensité. »

Précisons que Keats se savait condamné à brève échéance lorsqu'il écrivit sa grande œuvre poétique Hypérion. Une maladie des poumons ne lui laissait qu'un an à vivre. C'est l'écrivain à qui elle avait décidé de consacrer sa thèse.

UN PARCOURS DE SOLITUDE ET D'ENGAGEMENT FACE À LA RÉALITÉ DES PERSÉCUTIONS

• Le patriotisme et l'antigermanisme

La première allusion à l'Occupation et à ses conséquences se produit le 16 avril 42, au jardin du Luxembourg, lors de l'échange avec Sparkenbroke – André

Bay. La discussion qui prend le tour d'une dispute donne le *la*, indique précisément ce qui fera un temps l'ambivalence d'Hélène Berr :

> « *J'avais pourtant envie de me disputer, car Sparkenbroke me disait : "Les Allemands vont gagner la guerre." J'ai dit : "Non !" Mais je ne savais pas quoi dire d'autre. Je sentais ma lâcheté, la lâcheté de ne plus soutenir devant lui mes croyances ; alors, je me suis secouée, je me suis exclamée : "Mais qu'est-ce que nous deviendrons si les Allemands gagnent ?"* »

Ce partage entre lâcheté et courage sera le sien plus tard, lorsqu'il s'agira de porter l'étoile jaune. Ici, la dispute montre la différence entre l'attentisme de nombreux Français, peu touchés par la guerre et moins encore par les lois d'exclusion, et l'envie de résister qui naît chez d'autres.

📖 On pourra faire le rapprochement avec d'autres figures, littéraires cette fois-ci, et par exemple celle qu'incarne Elisabeth Rousset dans *Boule de Suif* de Maupassant, véritable incarnation d'un patriotisme dont on trouvera dans le *Journal* des échos.

L'attitude d'André Bay pousse Hélène Berr à s'engager plus avant. La formule qu'elle trouve dans ce jardin du Luxembourg, et comme en écho aux dimanches d'Aubergenville, est éloquente : « *Mais ils ne laissent pas tout le monde jouir de la lumière et de l'eau !* » Il est clair dès lors que son trajet passera par les autres, celles et ceux dont elle s'occupe déjà depuis 1941, ses coreligionnaires poursuivis par les nazis, face au silence de beaucoup d'amis comme d'étrangers : « *Car je sais maintenant que c'est de la lâcheté, on n'a pas le droit de ne penser qu'à la poésie sur la terre ; c'est une magie, mais elle est suprêmement égoïste.* »

📖 Ici aussi un lien est envisageable entre ce patriotisme d'Hélène Berr et celui de l'héroïne du *Silence de la mer*, le récit de Vercors. L'une tient son Journal, l'autre se tait, se mure dans un silence qui ne cesse jamais. Toutes deux choisissent une voie difficile, mais l'une n'a pas le choix parce que pourchassée, l'autre fait le choix.

LE PROCESSUS D'EXCLUSION : DU PORT DE L'ÉTOILE AUX AUTRES FORMES DE PERSÉCUTION

• **Les ambiguïtés de l'UGIF**

Nous l'avons écrit, l'engagement d'Hélène Berr auprès des enfants juifs ne débute pas le 5 juillet 1942. Ce jour-là, en effet, elle se rend au siège de l'UGIF, rue de Téhéran, et y est assez brutalement accueillie. Mais elle reste. Elle tient dans son *Journal* des propos qui peuvent sembler contradictoire avec le recul. L'UGIF lui paraît une organisation sioniste, courant nationaliste juif qu'elle déteste. Elle sent, dans le même temps, que cet organisme permet aux Allemands de centraliser des noms, des informations. Quand il s'agira de déporter les enfants des divers centres, ce sera bien utile. Mais son activité au sein de l'UGIF ne se démentira pas jusqu'en 1944. Son jugement final, en novembre 43, en atteste, face aux hésitations d'une surveillante d'hôpital où est soigné l'un des enfants dont elle s'occupe aussi :

« [...] Je lui ai expliqué qu'il n'y avait rien à faire, qu'il était bloqué ; ai saisi ses hésitations vis-à-vis de l'UGIF, et cela m'a fait de la peine. Je la comprends si bien ; et c'est si difficile d'expliquer aux autres ce que c'est. Officiellement, par son caractère non clandestin, c'est une monstruosité. Mais d'abord, qui se serait occupé des internés et des familles sans cela ? Et qui peut dire le bien que beaucoup de ses membres ont fait ? »

● Le port de l'étoile jaune

Sa décision de s'engager, à sa façon, n'est pas facile. Le 4 juin, elle hésite sur le port de l'étoile jaune, qui est imposé depuis le 29 mai 1942 :

> « Chez Mme Jourdan, […] nous avons discuté la question de l'insigne[1]. À ce moment-là, j'étais décidée à ne pas le porter. Je considérais cela comme une infamie et une preuve d'obéissance aux lois allemandes.
> Ce soir, tout a changé à nouveau : je trouve que c'est une lâcheté de ne pas le faire, vis-à-vis de ceux qui le feront.
> Seulement, si je le porte, je veux toujours être très élégante et très digne, pour que les gens voient ce que c'est. Je veux faire la chose la plus courageuse. Ce soir, je crois que c'est de le porter. Seulement, où cela peut-il nous mener ? »

La division en paragraphes se fait l'écho de cette hésitation, comme pour ce qui concernait la relation avec Gérard. Au terme de ce passage la décision est prise. Et le 8 juin, elle sort pour la première fois avec l'étoile cousue sur la poitrine.

Le parallèle qu'elle établit avec la première page du *Journal* offre une piste de réflexion, sinon de travail, très intéressante :

> « C'est le premier jour où je me sente réellement en vacances. Il fait un temps radieux, très frais après l'orage d'hier. Les oiseaux pépient, un matin comme celui de Paul Valéry. Le premier jour aussi où je vais porter l'étoile jaune. Ce sont les deux aspects de la vie actuelle : la fraîcheur, la beauté, la jeunesse de la vie, incarnée par cette matinée limpide ; la barbarie et le mal, représentés par cette étoile jaune. »

Tout part de l'atmosphère légère, du climat printanier qui incite au bonheur. Mais la menace est là, incarnée par l'étoile infamante.

1. L'étoile jaune.

La suite de cette journée mémorable est rapportée après coup, le lundi soir, et une phrase mise en valeur dans le paragraphe la résume : « *Mon Dieu, je ne croyais pas que ce serait si dur.* »

☞ On pourra étudier plus longuement les pages des 8 et 9 juin en classe (p. 29-34). Leur force tient avant tout à l'échange de regards, à la manière dont certains se détournent d'elle quand elle les regarde en face.

☞ On pourra faire la liste des rencontres qui ponctuent la traversée de la ville ce jour-là comme le lendemain, retrouver les trajets parisiens qu'elle fait (voir cartes de Paris, annexes p. 206-209).

☞ Proposition d'étude des photographies (en annexes, p. 196-198). Une comparaison entre les divers documents est intéressante. On constate, en effet, que le port de l'étoile imposé à tous les Juifs « uniformise » une population diverse : jeunes et vieux, bourgeois et artisans, habitants des beaux quartiers ou du Paris populaire (Marais et XIᵉ arrondissement), tous ou presque portent ce signe ostracisant au même endroit, sur la poitrine. Ainsi l'ancien combattant était exempté de ce port car invalide de guerre et médaillé.
De façon fort classique, on identifiera le document, on le datera. On s'efforcera de reconnaître un statut social qui renvoie à une partie spécifique de la population juive de Paris (ou de province). On distinguera les photos prises en intérieur et en extérieur et on essaiera d'analyser l'image en fonction de ce qu'expriment les visages des personnes. Chose assez délicate car ces victimes ne laissent pas apparaître de sentiment précis. Peut-on dire la honte ou le désespoir devant un appareil photo ?

Le moment le plus délicat se produit sans doute lorsqu'elle retrouve Jean :

« Quand tout le monde a eu quitté la bibliothèque, j'ai sorti ma veste et je lui ai montré l'étoile. Mais je ne pouvais pas le regarder en face, je l'ai ôtée et j'ai mis le bouquet tricolore qui la fixait à ma boutonnière. Lorsque j'ai levé les yeux, j'ai vu qu'il avait été frappé en plein cœur. Je suis sûre qu'il ne se doutait de rien. Je craignais que toute notre amitié ne fût soudain brisée, amoindrie par cela. Mais après, nous avons marché jusqu'à Sèvres-Babylone, il a été très gentil. Je me demande ce qu'il pensait. »

L'épreuve est double : faire face au regard des autres, des étrangers qui ne la connaissent pas, et révéler à son ami, à celui qu'elle va aimer, qui elle est, dans un État français qui exclut et persécute.

La journée du 9 juin est plus difficile, peut-être parce qu'elle hésite encore : « Je ne voulais pas porter l'étoile, mais j'ai fini par le faire, trouvant lâche ma résistance. » Le port de l'étoile est accompagné d'une autre humiliation :

« Puis, au métro à l'École militaire (quand je suis descendue, une dame m'a dit : « Bonjour, mademoiselle »), le contrôleur m'a dit : « Dernière voiture. » Alors, c'était vrai le bruit qui avait couru hier. Cela a été comme la brusque réalisation d'un mauvais rêve. Le métro arrivait, je suis montée dans la première voiture. Au changement, j'ai pris la dernière. Il n'y avait pas d'insignes. Mais rétrospectivement, des larmes de douleur et de révolte ont jailli à mes yeux, j'étais obligée de fixer quelque chose pour qu'elles rentrent. »

Un épisode semblable se produit le 10 juillet, et il est révélateur. La jeune femme se rend compte que la France l'exclut, que le processus est général et inexorable :

« Nouvelle ordonnance aujourd'hui, pour le métro. D'ailleurs, ce matin, à l'École militaire, je me préparais à monter dans la

première voiture lorsque j'ai brusquement réalisé que les paro-
les brutales du contrôleur s'adressaient à moi : "Vous là-bas,
l'autre voiture." J'ai couru comme une folle pour ne pas le man-
quer, et lorsque je me suis retrouvée dans l'avant-dernière voi-
ture, des larmes jaillissaient de mes yeux, des larmes de rage,
et de réaction contre cette brutalité.

Les juifs n'auront plus le droit non plus de traverser les
Champs-Élysées. Théâtres et restaurants réservés. La nouvelle
est rédigée d'un ton naturel et hypocrite, comme si c'était un
fait accompli qu'en France on persécutait les juifs, un fait
acquis, reconnu comme une nécessité et un droit. »

Hélène Berr mesure peu à peu la responsabilité française dans les lois qui les persécutent, elle et les siens.
Une telle prise de conscience n'est pas anodine : ce
sont les pairs de sa famille, les hauts fonctionnaires et
grands commis de l'État qui promulguent les lois, signent
les décrets. La trahison n'en est que plus intense et
douloureuse.

La journée du 9 juin s'écoule comme un cauchemar. Le mot revient souvent sous sa plume, et les
visages des autres sont autant de repères qu'elle
quête, pour éviter qu'on la regarde elle, et surtout
l'emblème apposé sur sa poitrine. Elle emploie une
image forte pour traduire ce qu'elle ressent : « crucifixion ». Sa « Passion » à elle a pour cadre la cour
de cette Sorbonne qu'elle aime tant, qui est son lieu
de prédilection.

Et puis il lui faut compter avec l'incompréhension :

« Au Luxembourg, nous nous sommes attablées devant des
verres de citronnade et d'orangeade. Elles étaient charmantes.
Vivi Lafon, Mlle Cochet, qui est mariée depuis deux mois, la
petite dont je ne connais pas le nom, et Marguerite Cazamian.
Mais je crois qu'aucune ne comprenait ma souffrance. Si elles
l'avaient comprise, elles auraient dit : "Mais alors, pourquoi le
portez-vous ?" Cela les choque peut-être un peu de voir que je
le porte. Moi aussi, il y a des moments où je me demande

pourquoi je le fais, je sais évidemment que c'est parce que je veux éprouver mon courage. ».

La deuxième partie du *Journal*, écrite au cœur de la tourmente, donnera un autre relief à ces pages marquant l'entrée en une forme de résistance.

Un dernier épisode mérite qu'on s'y arrête, le 29 juin :

« En rentrant, en marchant avenue de La Bourdonnais, je pensais, je crois, à mes souliers. J'ai eu soudain conscience qu'un monsieur venait vers moi, je suis sortie de ma pensée. Il m'a tendu la main, et m'a dit d'une voix forte : « Un catholique français vous serre la main… et puis, la revanche ! » J'ai dit merci, et je suis partie en commençant à réaliser ce qui s'était passé. Il y avait d'autres personnes dans la rue, assez loin. J'avais presque envie de rire. Et pourtant, c'était chic, ce geste. Il devait être Alsacien ; il avait trois rubans à sa boutonnière. »

Ce comportement contraste avec l'attentisme ou l'indifférence de beaucoup d'autres Parisiens.

• Un père à Drancy

L'arrestation du père est une nouvelle mise à l'épreuve pour Hélène et les siens, en cette année 42. Le motif en est dérisoire mais traduit parfaitement l'esprit des lois de Vichy :

« L'inspecteur a affirmé que Papa aurait été relâché si son étoile avait été bien cousue, car l'interrogatoire avenue Foch s'était bien passé. J'ai protesté. Maman aussi ; elle a expliqué qu'elle l'avait installée à l'aide d'agrafes et de pressions pour pouvoir la mettre sur tous les costumes. L'autre a continué d'affirmer que c'était cela qui avait causé l'internement : « Au camp de Drancy, elles sont cousues. » Alors, cela nous a rappelé qu'il allait à Drancy ».

En attendant ce départ pour Drancy, le père est enfermé à la préfecture de police. La description qu'elle fait de ce lieu labyrinthique peut être mise en parallèle

155

avec celle qu'en fait cinquante ans plus tard Patrick Modiano au Palais de justice dans *Dora Bruder*[1] :

> « *Nous avons enfilé d'innombrables escaliers, des corridors dénudés, avec des petites portes à droite et à gauche, je me demandais si c'était des cellules et si Papa était là-dedans ; on nous a renvoyées d'un étage à l'autre. Il y avait dans les couloirs des hommes à mine patibulaire, ou que je m'imaginais être tels, et des employés assis à des petites tables, tous très corrects. Le sac était lourd. Au dernier étage, Maman a eu du mal à monter. En moi-même je disais : "Monte, c'est bientôt fini." C'était un peu un calvaire.* »

Les pérégrinations dans le dédale de ce bâtiment officiel donnent lieu à une description détaillée, qui traduit aussi les sentiments et impressions de la jeune femme, face à quelques mines « patibulaires ». Par contraste, la situation que vit le père n'en est que plus infamante et absurde. Ce grand industriel raconte son périple, depuis le Commissariat général aux questions juives rue de Greffuhle jusqu'à cette cellule de la Préfecture, *via* le siège de la Gestapo. Là, dépouillé des accessoires qui permettraient un suicide, cravate, bretelles et lacets. Le courage du père, la distance ironique qu'il prend avec les faits contrastent avec la peur que ressentent d'autres détenus, comme ce jeune Juif italien arrêté pour marché noir. Hélène Berr réagit en israélite, ces Juifs assimilés, presque christianisés, devant ce garçon et ses parents qui sont loin de son monde :

> « *À partir de ce moment, il y a eu du tragique dans l'atmosphère. En même temps, nous étions, tous les quatre ensemble, tellement éloignés de ces pauvres gens, que je n'arrivais plus à concevoir que Papa fût arrêté aussi.* »

La cruauté de la situation faite au père n'échappe pas à la jeune femme le 26 juin au soir, alors que Raymond

1. *Dora Bruder*, Gallimard, « Folio » n° 3181, 1999, p. 18 à 20.

Berr a été envoyé à Drancy d'où il a écrit une première carte : *« Si, brusquement, dans le noir : je m'aperçois qu'entre le Papa d'ici et celui qui est là-bas et a écrit cette carte, il commence à se creuser un abîme infranchissable. »*

Les mois qui suivront dans l'absence de ce père admiré et aimé ravivent les interrogations quant au courage et à la lâcheté. La famille se trouve assez vite confrontée à un dilemme lorsque la libération de Raymond Berr est en jeu. Les Allemands le libèrent contre le versement d'une caution. Mais partir en zone libre est pour Hélène Berr un abandon, une lâcheté :

« Pour les Allemands aussi, le marché est avantageux : Papa en prison, cela indigne trop de monde. Cela leur fait une mauvaise réclame. Papa sorti de prison et reprenant sa vie, c'est un obstacle et un danger pour eux. Mais Papa disparaissant en zone libre, l'affaire devenant bien calme, bien plate, c'est leur idéal. Ils ne veulent pas de héros. Ils veulent rendre méprisable, ils ne veulent pas exciter l'admiration pour leurs victimes.

Mais si c'est cela, je fais le vœu de continuer à les gêner de toutes mes forces.

Il y a en moi deux sentiments qui reviennent à peu près au même, quoique leur type soit différent : le premier, c'est le sentiment de la lâcheté commise en s'en allant, une lâcheté qui nous est imposée, lâcheté vis-à-vis des autres internés, et des pauvres malheureux ; et celui du sacrifice de la joie de lutter, qui est le sacrifice d'un bonheur, parce que en plus de la joie de cet héroïsme, il y a les compensations de l'amitié, de la communauté dans la résistance. »

☞ Avec le recul que donne sur ce point un cours d'histoire, on pourra se demander si Hélène Berr ne se fait pas des illusions sur ce que pensent les occupants.

Il en ira bien autrement en 1944 quand ils décideront de déporter toute la famille sans se soucier des bien-séances et du qu'en-dira-t-on.

Le retour de son père, le 22 septembre au soir, est celui d'un homme qui a « vu ». Il n'est plus tout à fait le même :

> *« Papa est là, dans la maison. Il va y avoir six heures qu'il est là, il va coucher là. Nous allons passer la soirée avec lui. Il est là, il marche de long en large dans le salon, l'air absent. Mais il a si peu changé physiquement, que c'est un réconfort de le regarder. Lorsqu'il est arrivé, j'ai eu l'impression que les deux fragments de vie se raboutaient brusquement, exactement, et que tout le reste n'existait pas. Dieu soit loué, cette impression n'a pas duré, car elle me donnait un malaise étrange, car je ne veux pas oublier. Elle n'a pas duré parce que je sais ce que Papa a vu, parce que je suis plongée dans la souffrance des autres, parce que personne ne peut oublier ce qui s'est passé et ce qui va se passer cette nuit et demain. »*

● La rafle du Vél d'hiv'

> *« Mercredi 15 juillet*
> *23 heures*
> *Quelque chose se prépare, quelque chose qui sera une tragé-die, la tragédie peut-être.*
> *M. Simon est arrivé ce soir à dix heures nous prévenir qu'on lui avait parlé d'une rafle pour après-demain, vingt mille personnes. »*

Cette page du *Journal* est la première à évoquer l'un des événements cruciaux quant à la persécution des Juifs de France. Hélène Berr en a conscience comme en témoigne le déterminant « la » mis en italique dans son texte. On notera cependant qu'elle ne sait pas qui sont les véritables exécutants de cette rafle puisqu'un peu plus loin dans la même page, elle incri-mine les SS qui auraient pris le commandement en

France. On sait que tout a été planifié et mis en œuvre par la police française et ses chefs, René Bousquet et Jean Leguay.

Depuis 1941, Hélène Berr circule beaucoup dans Paris, pour aller d'un siège de l'UGIF à l'autre. Elle assiste ou entend ce qu'il en est de la rafle et de ses conséquences. Le *Journal* met en relief la fonction de témoin qui consigne les faits, que l'on trouve dans d'autres journaux de ce type. Les faits sont énumérés dans leur brutalité :

> « *Dans le quartier de Mlle Monsaingeon, une famille entière, père, mère et cinq enfants se sont suicidés au gaz pour échapper à la rafle.*
> *Une femme s'est jetée par la fenêtre.*
> *Plusieurs agents ont été, paraît-il, fusillés pour avoir prévenu les gens de s'enfuir. On les a menacés de camp de concentration s'ils n'obéissaient pas. Qui va nourrir les internés de Drancy, maintenant que leurs femmes sont arrêtées ? Les petits ne retrouveront jamais leurs parents. Quelles sont les conséquences lointaines de cette chose arrivée avant-hier soir, au petit jour ?*
> *La cousine de Margot, partie la semaine dernière, et dont nous savions qu'elle avait échoué dans sa tentative, a été prise à la ligne [de démarcation], jetée en prison ; après que l'on eut interrogé son fils de 11 ans pendant des heures pour obtenir l'aveu qu'elle était juive ; elle a le diabète, au bout de quatre jours elle est morte. C'est fini. Lorsqu'elle était dans le coma, la sœur de la prison l'a fait transporter à l'hôpital, il était trop tard.* »

Les questions sont purement rhétoriques. Chacun en connaît les réponses. Hélène Berr écrit pour celles et ceux qui ne voient pas ou ne comprennent pas ce qui se passe : « *Je veux rester encore, pour connaître à fond ce qui s'est passé cette semaine, je le veux, pour pouvoir prêcher et secouer les indifférents* ».

Mais ces indifférents qu'elle évoque ne sont heureusement pas les seuls témoins qu'elle voit. Les marques de compassion sont fréquentes, comme lorsqu'elle a porté l'étoile jaune pour la première fois :

> « Et puis il y a la sympathie des gens dans la rue, dans le métro. Il y a le bon regard des hommes et des femmes, qui vous remplit le cœur d'un sentiment inexprimable. Il y a la conscience d'être supérieur aux brutes qui vous font souffrir, et d'être unis avec les vrais hommes et les vraies femmes. Plus les malheurs s'amassent, plus ce lien s'approfondit. Il n'est plus question de distinctions superficielles de race, de religion, ni de rang social – je n'y ai jamais cru –, il y a l'union contre le mal, et la communion dans la souffrance. ».

À cet égard, le *Journal* est un document important qui remet en perspective ce que nous avons souvent occulté, dans un sens (tous collabos ou attentistes) ou dans un autre (tous résistants.).

📖 Les ouvrages sur la grande rafle ne manquent pas, qu'il s'agisse de fictions ou de documents historiques. Nous laisserons volontairement de côté toute une littérature pédagogique pour nous en tenir à deux récits ou romans, *Quoi de neuf sur la guerre ?* de Robert Bober, et *Les Guichets du Louvre* de Roger Boussinot. Les deux écrivains ont vécu les faits, l'un est juif, l'autre ne l'était pas. Un film comme *Monsieur Klein*, de Joseph Losey, apporte également un éclairage sur cette journée, mais sa projection ne va pas de soi pour un public scolaire.

Les faits liés à la rafle occupent une grande place dans les jours qui suivent et sans s'arrêter sur toutes les scènes vues ou rapportées, on peut mettre l'accent sur celle du mardi soir 21 juillet, car elle condense toute l'horreur des faits et annonce une suite terrible que la diariste pressent :

« Autres détails obtenus d'Isabelle : quinze mille hommes, femmes et enfants au Vél d'Hiv, accroupis tellement ils sont serrés, on marche dessus. Pas une goutte d'eau, les Allemands ont coupé l'eau et le gaz. On marche dans une mare visqueuse et gluante. Il y a là des malades arrachés à l'hôpital, des tuberculeux avec la pancarte "contagieux" autour du cou. Les femmes accouchent là. Aucun soin. Pas un médicament, pas un pansement. On n'y pénètre qu'au prix de mille démarches. D'ailleurs, les secours cessent demain. On va probablement tous les déporter.

Mme *Carpentier a vu jeudi à Drancy deux trains de marchandises où l'on avait entassé, comme des bestiaux, sans même de paille, des femmes et des hommes pour les déporter. »*

Cette information sur des voyages en wagon de marchandises est confirmée le 20 septembre, et l'image se fait plus précise :

« M. R. a décrit à Denise comment cela se passait pour une déportation. On les rase tous, on les parque entre les barbelés, et on les entasse dans les wagons à bestiaux, sans paille, plombés. »

• Le tournant de 1943

Le long silence de novembre 42 à août 43 est, on le sait, lourd de souffrance et de solitude. Les allusions aux persécutions, notamment aux arrestations d'enfants recueillis dans les foyers de l'UGIF, sont plus fréquentes. Les rumeurs aussi sont plus effrayantes les unes que les autres. On sent chez Hélène Berr que l'urgence se fait plus pressante :

« De ce départ du 27 mars 42 (celui du mari de Mme *Schwartz), on n'a jamais rien su. On a parlé des avant-lignes sur le front russe, où l'on aurait employé les déportés à faire sauter des mines ?*

On a parlé aussi des gaz asphyxiants par lesquels on aurait passé les convois à la frontière polonaise. Il doit y avoir une origine vraie à ces bruits.

Et penser que chaque personne nouvelle qui est arrêtée, hier, aujourd'hui, à cette heure même, est sans doute destinée à

161

subir ce sort terrible. Penser que ce n'est pas fini, que cela continue tout le temps avec une régularité diabolique. Penser que si je suis arrêtée ce soir (ce que j'envisage depuis long-temps), je serai dans huit jours en Haute-Silésie, peut-être morte, que toute ma vie s'éteindra brusquement, avec tout l'infini que je sens en moi. »

L'allusion à la Haute-Silésie, endroit où se trouve le camp d'Auschwitz, est une indication précieuse sur ce que savait, ou pas, la population ouest-européenne. Les informations sur ces camps ne sont pas encore bien précises, comme le montre une allusion directe au camp lui-même en 43 :

« 6 décembre
Je pourrais danser, courir, sauter. Je ne sais comment contenir ma joie : on a des nouvelles de Françoise et des autres. Ouf ! ça y est, je l'ai dit. J'ai trouvé en rentrant un pneu de la mère de Mme Schwartz me disant qu'elle venait de recevoir une carte de sa fille du 25 octobre de Birkenau. Françoise embrasse son père. Mme Robert Lévy et Lisette Bloch sont avec elle. Le silence est enfin brisé. »

Hélène Berr, malgré son indignation contre l'occupant, comprend bien qui est à l'origine des persécutions (nous sommes en novembre 43) :

« Sa mère et son père sont déportés, elle était en nourrice, on est venu l'arrêter ! Elle a passé un mois au camp de Poitiers.
Les gendarmes qui ont obéi à des ordres leur enjoignant d'aller arrêter un bébé de 2 ans, en nourrice, pour l'interner. Mais c'est la preuve la plus navrante de l'état d'abrutissement, de la perte totale de conscience morale où nous sommes tombés. C'est cela qui est désespérant. »

L'attitude de la police française, son zèle aveugle et sourd, est ce qui la choque le plus

« C'est toujours la même histoire de l'inspecteur de police qui a répondu à Mme Cohen, lorsque, dans la nuit du 10 février, il est venu arrêter treize enfants à l'orphelinat, dont l'aîné avait

13 ans et la plus jeune 5 (des enfants dont les parents étaient déportés ou disparus, mais il "en" fallait pour compléter le convoi de mille du lendemain) : "Que voulez-vous, madame, je fais mon devoir !" […] Les Allemands, eux, c'est depuis une génération qu'on travaille à les ré-abrutir (c'est un retour périodique). Toute intelligence est morte en eux. Mais on pouvait espérer que chez nous, ce serait différent. »

La comparaison avec l'occupant nazi a quelque chose de désespérant et montre qu'elle a compris dans quel engrenage les Juifs de France se trouvent pris

Et puis, comme on l'a noté plus haut, elle est frappée par les rafles et spoliations qui touchent de plus en plus la grande bourgeoisie juive assimilée :

« Mardi 16 novembre

Boulevard de la Gare, où on a ouvert une succursale de Lévitan (centre où des internés de Drancy, « favorisés » parce qu'ils sont « conjoints d'aryens », trient et mettent en caisse les objets volés par les Allemands dans les appartements juifs et destinés à l'Allemagne), se trouvent actuellement deux cents personnes, hommes et femmes mélangés dans la même salle avec un lavabo. Tout se passe en commun, on dépouille avec raffinement les hommes et les femmes de leur pudeur.

Là se trouvent M. Kohn, Édouard Bloch, grand mutilé, comment fait-il ? Mme Verne, la femme du banquier. Et d'ailleurs qu'est-ce que cela peut faire, la classe ? Tous souffrent, seulement des gens intensément délicats et fins comme le premier doivent souffrir plus.

Été à Neuilly pour rien.

Été à Saint-Denis à onze heures trente.

Pleuré après le dîner. »

Cette partie du *Journal* montre aussi combien elle est lucide quant à la dilution des responsabilités, à ce que Hannah Arendt nommera la « banalité du mal » :

« La chose terrible, c'est que dans tout cela, on voit très peu de gens sur le fait. Car le système est si bien organisé que

les hommes responsables paraissent peu. C'est très dommage,
car autrement, la révolte serait bien plus générale.
Ou est-ce parce que je vois les choses de l'extérieur ? Il est cer-
tain qu'il a fallu un minimum d'hommes pour organiser et exé-
cuter ces persécutions. »

📖 Afin de prendre la pleine mesure du propos, on lira en annexe deux documents (voir p. 203-204).
Dans le premier document, la froideur bureaucratique et le cynisme des fonctionnaires zélés s'expriment sans mesure. Comment piéger les Juifs qui auraient échappé à la rafle du 16 juillet ? On connaît le propos de Pierre Laval à propos de la déportation, ce « Sans oublier les enfants » qui est passé à la postérité ; on en éprouve là l'intensité.
L'autre document est une des nombreuses lettres adressées pendant l'été 42 à Monsieur le Préfet de Police. Cette lettre témoigne du désarroi des victimes, des difficultés concrètes qu'elles rencontrent, des séparations d'avec les enfants. Mis en regard, le texte de fonctionnaire et la lettre d'une victime prennent un relief certain. Rien ne dit que ces documents n'appartiennent qu'au passé.

• Rumeurs des crimes en Pologne

Certaines pages du *Journal* témoignent de ce que les prisonniers de guerre ou ouvriers obligés de procéder à la relève voulue par Laval découvrent en Pologne le pays qui alors souffre le plus de l'horreur nazie. Le *Journal* s'en fait l'écho en cette fin 43 – début 44 :

« Elle m'a raconté qu'elle avait un garçon de salle qui revenait de Pologne, et qui avait assisté de ses propres yeux au spectacle suivant : les ouvriers français là-bas n'ont pas le droit de circuler en dehors d'une enceinte déterminée. Celui-là était sorti un soir, dans le noir, et avait dépassé la limite prescrite,

il se trouvait au bord d'une espèce de lac, soudain il entendit du bruit. Il se cacha, et assista à une chose qui n'a pas de nom : il vit des Allemands s'avancer, poussant devant eux des femmes, des hommes, des enfants. Il y avait là une espèce de tremplin sur lequel on les faisait monter. Et de là floc ! dans le lac, c'est comme cela qu'elle a dit ; je sentais la moelle de mes os se glacer. C'était des juifs polonais.

Je ne sais donc pas tout, mais chaque récit nouveau tombe dans une atmosphère de conscience à vif. »

☞ On étudiera de tels passages avec le professeur d'histoire pour les mettre en regard avec les documents historiques, les témoignages venus de Pologne et, par exemple, certains journaux de victimes.

● Drancy – Auschwitz

Les dernières pages du *Journal* et notamment celles du 15 février 44 peuvent être lues comme des documents sur ce qu'était ce camp par lequel elle allait passer avant le départ pour Auschwitz. On en relèvera les détails concrets, ce souci qu'a la jeune femme de dire les choses telles qu'elle les entend, notamment de la bouche de Mme Kahn, rencontrée au foyer de l'UGIF à Neuilly après avoir passé « *huit jours à Drancy* » :

« Par elle j'ai obtenu les détails que nous ne pourrons plus apprendre que de ceux qui reviendront de la déportation. Elle est allée pour ainsi dire jusqu'à l'extrême bord. À partir de là, c'est l'inconnu, c'est le secret des déportés.

À Drancy même, la vie est supportable. Pendant huit jours, elle n'a pas eu faim. Ce que je voulais obtenir, c'était des détails sur le départ. Je connais Drancy, j'y suis allée deux fois quinze jours tous les jours l'année dernière ; j'imagine la vie qu'on y mène. Je revois les grandes vitres des bâtiments, et les figures qui se collaient aux vitres, ces gens enfermés, désœuvrés, ou alors rassemblant le peu qu'ils avaient à manger et mangeant sur leurs lits, à n'importe quelle heure. »

Hélène Berr évoque alors le sort d'une famille, mais se reprend, comme nous le notions plus haut évoquant son refus de parler pour les vrais témoins :

> « Cela, je voudrais le raconter, mais que suis-je pour le raconter, à côté de ceux qui y ont été, et y ont souffert ?
> J'ai demandé des détails précis, un ou deux jours avant le départ, on s'organise dans une chambrée qui reproduira le wagon, soixante personnes, hommes et femmes mélangés (jusqu'à Metz sans doute, on ne sépare pas les familles). Pour soixante personnes, seize paillasses étendues sur le plancher du wagon à bestiaux plombé, un seau hygiénique (peut-être trois), vidé quand ? »

Elle parle des rations reçues au départ, pour six jours, mais un écart existe sans doute entre ce qu'elle croit et ce qui se passe. Son pressentiment quant au « grand voyage » qu'évoque Jorge Semprun dans son roman est plus juste. Elle semble se projeter dans ce lieu qu'elle connaîtra en mars 44 :

> « A-t-on faim ? Dans cette atmosphère qui doit être étouffante, l'odeur des seaux, l'odeur humaine. Pas d'aération ? J'imagine. Et les crampes, tout le monde ne peut pas se coucher, ni s'asseoir, à soixante dans un wagon.
> Là-dedans des malades ou des vieillards. »

• Le pressentiment du pire

Deux pages peuvent traduire la peur d'Hélène Berr, ou le sentiment que le pire approche. D'abord cette page du 22 janvier 44, à la construction découpée, de courts paragraphes se succédant, des phrases brèves, sèches, et les phrases interrogatives.

> « Samedi 22 janvier
> Bruit de rafles à nouveau, il y en a eu cette nuit. Mme Pesson a alerté Maman.
> Papa dit qu'il faudra envisager le moment de ne plus rester ici. J'ai toujours peur que ce ne soit trop tard. S'ils sonnent, que ferons-nous ? Ne pas ouvrir : ils enfonceront la porte.

Ouvrir et présenter la carte : une chance sur cent.

Essayer de filer : s'ils sont derrière la porte de service ? refaire les lits en vitesse pour qu'ils ne voient pas qu'on vient de partir ; là-haut le froid, la réaction, et la pensée du lendemain à partir duquel il va falloir vivre une vie de traqués. Je n'ai jamais quitté mon domicile encore. On ouvre, la sommation, l'habillage fébrile dans la nuit, pas de rucksack [sac à dos], qu'emporter ? Le sentiment de la catastrophe que cela va être, du changement total, pas le temps de réfléchir. Tout ce qu'on abandonne, la voiture en bas qui attend, le camp, la rencontre avec tous les autres, qu'on ne reconnaît plus.

Cela sera-t-il ou non ? »

Et puis sa dernière lettre, qui commence curieusement par un « Dring ! »

« 8 mars 1944
19 h 20

Ce matin à 7 h 30, dring ! Je croyais que c'était un pneu !! Vous savez la suite. Mesure individuelle. Henri [Raymond Berr] visé, soi-disant à cause de trop nombreuses interventions il y a dix-huit mois. Petit voyage en auto particulière jusqu'en face, chez Gaston Bébert [le commissariat]. Station dans l'auto. Et arrivée ici, dépôt du VIIIᵉ sous le cirque Rancy ! Marcel [la police française] ce matin était désagréable (à mon avis). Ici, ils sont gentils. Nous attendons. »

Écho dramatique à la nouvelle écrite avec Odile Neuburger (à l'âge de 15 ans) :

« Dring ! Dring – la cloche du déjeuner ! Déjà ! À dans quatre heures ! Le déjeuner est gai, la salle à manger verte est inondée de lumière et de fleurs. Pas un nuage à l'horizon ! Il faut se dépêcher pour qu'on puisse débarrasser la pièce. Je suis insupportable ! Je ne peux pas tenir en place sur ma chaise. Les autres non plus, du reste.

Papa est ravi d'avance, et un large sourire, son si beau sourire, éclaire sa face. Maman aussi est jolie aujourd'hui ; elle sourit. Les grand-mères prennent part à notre joie... »

Clore cette lecture par une référence à la nouvelle écrite en 1935 par la toute jeune Hélène est une façon de ne pas rompre un enchantement, de préserver une image : celle d'une femme à qui tout semblait promis. Elle avait bien des dons, elle aimait le soleil et l'eau, elle vibrait à la moindre émotion.

Elle était aussi et surtout sensible à la présence des autres. Soit qu'ils fussent ses semblables, ses proches, victimes comme elle d'un crime incompréhensible, soit qu'ils fussent ces indifférents, sourds et aveugles à ce qui se passait et dont nous ne nous remettons pas.

Il faut en effet lire Hélène Berr au présent de l'indicatif, entendre la voix d'une jeune femme qui crie son horreur devant ce qui s'accomplit et qui l'engloutira, comme beaucoup d'autres, promis au meilleur.

Les échos, les liens que nous avons voulu tisser entre des œuvres ou témoignages différents, éloignés dans le temps, traduisent ce désir de faire du *Journal* un texte qui vit. En le faisant lire à des adolescents d'aujourd'hui, en mettant en relief aussi bien l'énergie vitale, le goût et le sens du bonheur d'Hélène Berr, que sa conscience de ce qui disparaîtra dans les flammes et la fumée de Silésie, nous avons l'espoir qu'ils sentiront combien la vie est précieuse et combien il faut la protéger de tous ceux qui exécutent des ordres sans souci de ce qui fait la singularité d'un regard.

Norbert Czarny

Nota Bene : Nous tenons à remercier Margot Favard pour sa précieuse relecture de ces pages.

Chronologie
La Seconde Guerre mondiale
et la persécution des Juifs.

9-10 novembre 1938 : Nuit de Cristal. Début des persécutions antisémites de masse en Allemagne.

30 janvier 1939 : Discours d'Hitler au Reichstag menaçant les Juifs d'extermination au cas ou une guerre éclaterait en Europe.

1er septembre 1939 : L'Allemagne envahit la Pologne. Début de la Seconde Guerre mondiale.

23 novembre 1939 : Les Juifs de Pologne occupée doivent porter un brassard avec une étoile de David.

10 mai 1940 : L'Allemagne attaque la Belgique, la Hollande, la France et le Luxembourg.

20 mai 1940 : Ouverture du camp de concentration d'Auschwitz en Pologne

22 juin 1940 : Armistice en France. Tout le nord de la France est occupé par les Allemands. La France est coupée en deux par la ligne de démarcation qui va de la frontière suisse au centre de la France puis à Angoulême et Mont-de-Marsan pour rejoindre la frontière espagnole. Au sud de cette ligne, c'est la zone sud qu'on appelle alors zone libre, dirigée par le gouvernement du maréchal Pétain, dernier chef de gouvernement de la troisième République.

10 juillet 1940 : Avec l'aide de Pierre Laval, Pétain obtient les pleins pouvoirs du Parlement. Il supprime la troisième République et crée l'État français, un régime ultra-conservateur et autoritaire.

22 juillet 1940 : Création d'une commission de révision des 500 000 naturalisations prononcées depuis 1927. Retrait de la nationalité pour 15 000 personnes dont 40 % de Juifs.

Juillet 1940 : Les Allemands expulsent plus de 20 000 Juifs alsaciens-lorrains vers la zone sud.
À partir de l'automne 1940, les Juifs habitant en France, français ou étrangers, sont soumis à des restrictions de liberté de plus en plus sévères, imposées à la fois par des lois allemandes mais aussi par des lois adoptées par le gouvernement de Vichy.

27 septembre 1940 : Première ordonnance allemande prescrivant le recensement des Juifs en zone occupée. Un fichier des Juifs est établi dans chaque préfecture.

3 octobre 1940 : Premier statut des Juifs promulgué par le gouvernement de Vichy. Cette loi exclut les Juifs français de tout poste dans la fonction publique, la presse et le cinéma. Est considéré comme juif « toute personne issue de 3 grands-parents de race juive ou de 2 grands-parents de même race si son conjoint lui-même est juif ».

3 octobre 1940 : Les préfets peuvent assigner à résidence les « étrangers de race juive » ou les interner dans des « camps spéciaux ». En 1941, ils sont près de 40 000 Juifs étrangers dans des camps en zone non occupée.

7 octobre 1940 : Abrogation du décret Crémieux de 1871. La nationalité française est donc retirée aux Juifs d'Algérie.

Octobre 1940 : La police française fait appliquer les ordonnances allemandes concernant l'obligation pour les Juifs de zone occupée d'avoir une carte d'identité portant la mention « Juif » et pour les entreprises commerciales juives d'afficher l'inscription « Entreprise juive ».

24 octobre 1940 : Entrevue de Montoire. Pétain rencontre Hitler, lui serre la main et s'engage dans la collaboration avec l'Allemagne nazie.

16 novembre 1940 : En Pologne, à Varsovie, création du ghetto, quartier réservé où les Juifs sont enfermés.

29 mars 1941 : Création du Commissariat général aux questions juives (CGQJ), dirigé par Xavier Vallat jusqu'en mai 1942 puis par Louis Darquier de Pellepoix.

21 avril 1941 : Ouverture du camp de concentration de Natzweiler-Struthof, dans les Vosges, alors annexées au Reich.

13 mai 1941 : À Paris, première rafle de Juifs, organisée par la préfecture de police de Paris. 3 747 Juifs (sur 6 494 convoqués par la préfecture de police) sont enfermés dans les camps sous administration française de Pithiviers et Beaune-la-Rolande, dans le Loiret. Tous sont des hommes et de nationalité étrangère.

2 juin 1941 : Deuxième statut des Juifs. Beaucoup plus strict que le premier, il renforce l'exclusion des Juifs des professions libérales, commerciales, artisanales et industrielles. La liste des emplois interdits est élargie à presque toute la fonction publique, aux métiers de l'information, de l'édition, du spectacle, de la banque et des assurances. Les exceptions accordées aux anciens combattants sont quasiment supprimées. Les Juifs de zone non occupée doivent se faire recenser sous peine d'internement « dans un camp spécial même si l'intéressé est français ».

22 juin 1941 : L'Allemagne attaque l'Union soviétique.

Été 1941 : Un numerus clausus est institué pour les Juifs limitant leur nombre à 2 % pour les avocats ou les médecins, à 3 % pour les étudiants.

22 juillet 1941 : Loi concernant la confiscation des biens juifs et leur passage sous contrôle d'administrateurs non juifs. Cette tâche est confiée au CGQJ qui, en trois ans, « aryanise », c'est-à-dire confisque et vole littéralement plusieurs dizaines de milliers d'entreprises juives.

13 août 1941 : Ordonnance allemande qui interdit aux Juifs de posséder un récepteur de radio. À Paris, les appareils doivent être déposés à la préfecture de police ou dans les commissariats de police d'arrondissement au plus tard le 1er septembre 1940.

20 août 1941 : La police parisienne cerne le XIe arrondissement et arrête 2 894 Juifs. Pendant les trois jours suivants, des rafles sont effectuées dans les autres quartiers de Paris. Au total, 4 232 Juifs sont arrêtés, dont environ 1 500 français. Ils sont internés au camp de Drancy, ouvert le 20 août, en banlieue nord de Paris. Placé sous le contrôle de la Gestapo mais gardé par des gendarmes français, Drancy est dirigé par le SS Theodor Dannecker, du 20 août 1941 au 16 juillet 1942.

Juillet – août 1941 : À l'ouest de la Russie, les Einsatzgruppen SS massacrent, le plus souvent en les fusillant, 1 200 000 Juifs.

Octobre 1941 : Création par le gouvernement de Vichy d'une Police aux questions juives, chargée d'arrêter les Juifs.

Octobre 1941 : En Pologne, ouverture du camp d'Auschwitz II (Birkenau) en vue de l'extermination des Juifs.

7 décembre 1941 : Attaque japonaise sur Pearl Harbor (États-Unis).

11 décembre 1941 : Les États-Unis déclarent la guerre à l'Allemagne et au Japon.

12 décembre 1941 : À Paris. 743 Juifs, uniquement des hommes, sont arrêtés par des policiers allemands, avec l'aide de policiers français. La plupart sont français, avocats, hommes politiques ou industriels. Ils sont envoyés au camp de Compiègne-Royallieu.

20 janvier 1942 : Conférence de Wannsee à Berlin. Heydrich présente les grandes lignes d'un plan visant à l'extermination totale des Juifs en Europe. Le nom de code nazi pour cette destruction programmée des Juifs d'Europe est la « Solution finale ».

7 février 1942 : Sixième ordonnance allemande interdisant aux Juifs de quitter leur domicile entre 20 heures et 6 heures du matin.

24 mars 1942 : Septième ordonnance allemande interdisant aux Juifs de posséder un poste de radio (TSF).

27 mars 1942 : Départ de Drancy et de Compiègne du premier convoi vers Auschwitz.

29 mai 1942 : Ordonnance allemande obligeant les Juifs de plus de 6 ans à porter l'étoile jaune en zone occupée. La mesure prend effet le 7 juin 1942.

6 juin 1942 : Décret du gouvernement de Vichy interdisant aux juifs les professions artistiques.

7 juin 1942 : Obligation faite aux Juifs de ne prendre que la dernière voiture dans le métro parisien.

8 juillet 1942 : Neuvième ordonnance nazie ; il est « interdit aux Juifs de fréquenter certains établissements de spectacle et, en général, des établissements ouverts au public. Les Juifs ne pourront entrer dans les grands magasins, les magasins de détail et artisanaux, ou y faire leurs achats, ou les faire faire par d'autres personnes, que de 15 à 16 heures ». Interdiction également d'entrer dans un square ou dans une cabine téléphonique.

Début juillet 1942 : Les nazis décident de déporter 100 000 Juifs de France âgés de 16 à 40 ans. Le secrétaire général à la police de Vichy, René Bousquet, assure que la police française arrêtera les Juifs dans les deux zones, occupée et non occupée. Il croit pouvoir limiter les arrestations aux seuls Juifs étrangers mais les rafles toucheront de plus en plus de Juifs français. Les nazis ne demandaient pas la déportation des enfants de moins de 16 ans. C'est Pierre Laval qui propose que ces enfants – le plus souvent nés en France – soient déportés avec leurs parents.

16-17 juillet 1942 : Rafle du Vél d'Hiv. Pour la première fois, des femmes et des enfants sont arrêtés. La police française arrête en région parisienne 13 152 Juifs dont 4 115 enfants ; la plupart sont parqués au Vélodrome d'Hiver de Paris, avant d'être internés à Pithiviers ou à Beaune-la-Rolande puis à Drancy et déportés à Auschwitz.

7 août 1942 : 10 000 Juifs étrangers arrêtés en zone libre par la police française sont livrés aux Allemands.

27 mars 1944 : Déportation d'Hélène Berr et de ses parents.

6 avril 1944 : Rafle des Enfants d'Izieu.

6 juin 1944 : Débarquement allié en Normandie.

31 juillet 1944 : Départ du dernier convoi (n° 77) de Drancy pour Auschwitz.

4 août 1944 : À Amsterdam, déportation d'Anne Frank.

15 et 16 août 1944 : Les autorités allemandes de Drancy s'enfuient après avoir brûlé les documents relatifs au camp. Le consul général de Suède, Raoul Nordling, prend en charge le camp le 17 août. Il reste alors 1 500 prisonniers dans le camp.

27 janvier 1945 : Libération du camp d'Auschwitz par l'Armée rouge.

Février/mars 1945 : Mort d'Anne Frank au camp de Bergen-Belsen.

8 avril 1945 : Libération du camp de Buchenwald.

Début avril 1945 : Mort d'Hélène Berr au camp de Bergen-Belsen.

15 avril 1945 : Libération du camp de Bergen-Belsen.

29 avril 1945 : Libération du camp de Dachau.

30 avril 1945 : Suicide d'Hitler, libération du camp de Ravensbrück.

7 mai 1945 : Libération du camp de Mauthausen.

8 mai 1945 : Capitulation du Troisième Reich.

6 août 1945 : Bombardement d'Hiroshima.

2 septembre 1945 : Capitulation du Japon, fin de la Seconde Guerre mondiale.

Bibliographie sélective

QUELQUES ÉCRIVAINS ÉVOQUÉS PAR HÉLÈNE BERR :

• Gide André, *L'Immoraliste*, Gallimard, « Folio », n° 229, 1972.
• Gide André, *Les Caves du Vatican*, Gallimard, « Folio », n° 34, 1972.
• Keats John, *Hypérion*, traduction Paul de Roux, La Dogana, 1999.
• Keats John, « Lettre à Bailey », in *Lettres*, Belin, 1993.
• Kipling Rudyard, *Un beau dimanche anglais*, Albin Michel, 1979.
• Tolstoï Léon, *Résurrection*, Gallimard, « Folio classique », n° 2619, 1994.
• Valéry Paul, *Poésies* (Charme, Amphion, Sémiramis Cantate du Narcisse, Pièces diverses de toute époque, Album de vers anciens), « Poésie/Gallimard », n° 6, 1966.

QUELQUES AUTEURS OU TEXTES CITÉS DANS LA LECTURE :

• Arendt Hannah, *Eichmann à Jérusalem*, Gallimard, « Folio histoire », n° 32, 1991
• Bettelheim Bruno *Le Cœur conscient*, traduit de l'américain par Laure Casseau et Georges Liébert-Casse, Laffont, 1972, et Hachette, coll. « Pluriel », n° 8478, 1981 et 1997.
• Bober Robert, *Quoi de neuf sur la guerre ?*, Gallimard, « Folio », n° 2690, 2002.
• Boussinot Roger, *Les Guichets du Louvre*, Gaia, 1999.
• Delerm Philippe, *La Première Gorgée de bière et autres plaisirs minuscules*, Gallimard, « L'arpenteur », 1997.

- Duras Marguerite, *La Douleur*, Gallimard, « Folio », n° 2469, 1993.
- Frank Anne, *Journal*, Hachette, « Le Livre de Poche », n° 287, rééd. 2007.
- Kundera Milan, *L'Ignorance,* Gallimard, « Folio », n° 4155, 2005.
- Levi Primo, *La Trêve*, « Le Livre de Poche », n° 15438, 2008.
- Mansfield Katherine, *La Garden Party*, Gallimard, « Folio classique », n° 3774, 2002.
- Martin du Gard Roger, *Les Thibault*, trois volumes, Gallimard, « Folio » n°s 3937, 3938, 3940, 2003.
- Maupassant Guy de, *Boule de Suif,* Gallimard, « Folio classique », n° 3297, 1999.
- Mendelsohn Daniel, *Les Disparus*, Flammarion, « J'ai lu », n° 8861, 2009.
- Modiano Patrick, *Dora Bruder*, Gallimard, « Folio », n° 3181, 1999.
- Vercors, *Le Silence de la mer*, Hachette, « Le Livre de Poche », n° 25, rééd. 2008

Sur la persécution des Juifs de France :

- Courtois Stéphane et Rayski Adam, dir., *Qui savait quoi ?*, La Découverte, 1987.
- Conan Éric, *Sans oublier les enfants. Les camps de Phitiviers et de Beaune-la-Rolande, juillet-septembre 1942*, Hachette, « Livre de Poche », n° 30570, 2006.
- Grynberg Anne, *Les Camps de la honte : les Internés juifs des camps français 1939-1944*, La Découverte, 1991, rééd. La Découverte/poche, 1999.
- Klarsfeld Serge, *Vichy-Auschwitz*, Fayard, 4 volumes, 1983-1985, rééd. 2001.
- Lévy Claude et Tillard Paul, *La Grande Rafle du Vél' d'Hiv.*, Robert Laffont, 1967, rééd. 2002.
- Wellers Georges, *Un Juif sous Vichy*, Fayard, 1973, rééd. Tirésias, 1991.
- Kaspi André, *Les Juifs pendant l'Occupation*, Seuil, « Points Histoire », n° 238, 1997.

LECTURE AUDIO DU JOURNAL

• Hélène Berr : journal, extraits, lu par Elsa Zylberstein, éditions Audiolib, 2008

La famille d'Hélène Berr

Sa grand-mère [Bonne Maman] :
• Berthe Rodrigues-Ély, mère d'Antoinette.

Ses parents :
• Raymond Berr (1888-1944), vice-président-directeur général des usines Kuhlmann.
• Antoinette Berr, née Rodrigues-Ély (1891-1944).

Ses frère et sœurs :
• Jacqueline Berr (1915-1921).
• Yvonne Schwartz, née Berr (1917-2001),
  mariée à Daniel Schwartz (né en 1917).
• Denise Job, née Berr (née en 1919),
  mariée à François Job (1918-2006), frère des jumelles Nicole et Jacqueline Job.
• Jacques Berr (1922-1998).

Son fiancé :
• Jean Morawiecki [J. M.] (1921-2008).

Mardi 7 Avril   1
                44

Je reviens ..... de chez la concierge de Paul Valéry — Je suis enfin décidée à aller donner mon livre — Après le déjeuner, le soleil brillait : il n'y avait pas de menace de giboulée — J'ai pris le gt jusqu'à l'Étoile. En descendant l'avenue Victor-Hugo, mes apprehensions ont commencé — Au coin de la Rue de Villejust, j'ai eu un mouvement de panique — Et tout de suite le rechchin : je sais que je prenne les sephamel'idée de mes actes. aheis s no one la flame but you " — Et tout ne confiance est revenue. Je me suis demandée comment j'avais pu avoir peur. la demain même jusqu'à ce manière, je nouvais ce tout naturel — c'y maman qui me unele inimodes en me nombrant y vielle était ne va pas étonnée de mon audace. Autrement je houvais cela tout simple — longtemps mon état de demi-rêve — j'ai sané' aur 40 — un fok.krmin s'y prélitile sur ma ... abajum. la concatige (la aufil' tie — Elle m'a demandé d'un air méfiant : qu'est-ce que ...

Dernière page manuscrite du *Journal*

Il m'a décrit une... à propos du forme de Katyn qu'il avait
assisté à d's voir exactement démontable — En 41, il était arrivé
un stalag des milliers de prisonniers russes dans un dénuement
effroyable, mourant de faim — de typhus — dysenterie (a-cdela...)
les ortains mourraient chaque jour — chaque matin les Allemands
abattaient chacun d'coup de révolver ceux qui ne pouvaient plus se
lever. Alors les malades qui — ! [?] une (la sabline ce matin se faisaient
destinés, ceux-ci donc par leurs camarades valides pour être dans
les rangs. — les Allemands donnaient de coups de crosse sur les
mains des ceux qui se soutenaient — le malade tombait — et
le ramenaient dans la charrette en le dispersant de leur butte —
de leur vêtement, les menaient à lumière qui un fosse où ils ls déshabillaient
sur les branches et les jetaient dans la fosse — à force plu-mort
ou le laissaient — un jeu de chaux vive là-dessus — et c'était fini.
Horreur ! Horreur ! Horrea !

A par pris la nuit du garçon de salle du Enfants Malades —

Extraits des cahiers d'Hélène Berr

Comme dans un conte de fées...
(1935, Hélène a quatorze ans)

Samedi 20 avril

Nous voguons en pleine mer et nous longeons quelques-unes des îles de l'archipel ionien.

Nous sommes dans le sillage d'Ulysse.

Voici Ithaque, la patrie du rusé Odysseus. La mer est d'un bleu turquoise éblouissant.

Kephalonia, Zante, tous ces noms éveillent des aventures interminables et toujours variées. J'évoque Ulysse crevant l'œil du cyclope Polyphème, puis Pénélope devant sa tapisserie, telle que je l'ai vue dans mon Odyssée.

Nous quittons l'archipel ionien pour arriver à Katacolo.

Dimanche 21 avril

Dimanche de Pâques en Grèce. Quand je pense que je foule cette terre de héros magnifiques, je me trouve bien heureuse.

De Katacolo, nous prenons le train jusqu'à Olympie,

le sanctuaire si vénéré des Anciens. Tout de suite, le paysage devient grec : le ciel très bleu, les collines vertes, rondes, les cyprès par trois ou quatre et les maisons aux toits à peine inclinés ; au fond, la mer. Je ne puis pas croire que je suis en Grèce. Pourtant, après avoir reçu de l'Alliance Franco-Grecque un chaleureux accueil, avec discours, petite fille, bouquets et bravos, nous arrivons à Olympie.

Dans cet emplacement, qui fut le sanctuaire de Zeus, il ne reste plus que quelques fûts de colonnes doriques qui indiquent l'emplacement de l'ancien temple de Héra, une petite rotonde, le Philipeïon et de vieilles pierres. Au stade, on voit encore la ligne de départ.

Mais ce qui charme et ce qui retient, à Olympie, c'est le cadre, en harmonie parfaite avec les tons grisés des ruines. Le ciel, ce ciel de Grèce unique, d'un bleu très doux, presque fondu avec du gris, et pourtant baigné par une lumière extraordinaire ; voilà une couleur qu'on ne trouve nulle part. Au fond, les collines, avec leurs cyprès étroits et où s'étagent des maisons aux toits en pointe peu accentuée et, enfin, au loin, le lit blanc de l'Alphée, tout cela dans une végétation intense, parfumée, des mimosas et des glycines.

[...]

Mardi 23 avril.
À 6 heures

Rien de tel que de voir le Parthénon là, sous les colonnes ioniennes des Propylées, dans un angle parfait. Ses colonnades pyramidales, vivantes, toutes dorées par le soleil couchant, soutiennent des métopes où l'on distingue encore des cavaliers fougueux. Les colonnes n'ont pas le même intervalle ; on dirait qu'elles souffrent de porter les frontons.

Quand on marche sous le temple, on se sent tout petit à côté de ces ruines glorieuses. Si haut que l'on monterait, on ne serait jamais supérieur au Parthénon. Ce fronton tout détruit a l'air de pleurer et lorsque, toute seule, montée sur un fût de colonne, je regarde le temple, j'évoque involontairement le prêtre vêtu de blanc, qui descend lentement les marches jusqu'à l'autel parfumé d'encens, qu'un peuple immense acclame.

Tout est calme, tout est grandiose, tout est au-dessus, devant ce Parthénon qui a vu tant de siècles et de peuples le contempler. Par ses ruines, il reste là, sur l'Acropole ; solitaire et vieux. Tout s'efface devant le Parthénon, même l'adorable fontaine des Cariatides, avec ses nymphes aux longs cheveux, même le gracieux Erechtéion, avec ses colonnes finement cannelées, même, enfin, le petit temple d'Athéna Niké, qui se dresse tout seul sur le bord de l'Acropole, car rien ne vaut le Parthénon, vu des gigantesques Propylées. Chaque fois que je veux m'en retourner, une force mystérieuse m'attire pour contempler, avec plus d'insistance, le temple rose sous le soleil couchant...

La G. P.[1]
(1935, H. Berr et O. Neuburger)

H.

[...]

Mon Dieu ! Je n'y tiens plus – 2 jours ! Je suis trop excitée. Finis le travail, le bachot peut-être aussi ennuyeux sinon plus pour moi que pour Denise...

1. *Garden Party.*

Et pourquoi faut-il que cette idée noire vienne toujours voiler ma joie : « et après ? Ça sera fini. »

[...]

Dimanche matin
H.
9 heures.

Il va faire un temps splendide ; le ciel est bleu-gris, il y a un peu de brume au-dessus des coteaux de Jusiers ; le jardin est inondé de soleil, les oiseaux gazouillent à qui mieux mieux, et le jardin de cure embaumé de roses – quelle matinée ! Oh ! que je suis excitée ! Yvonne met les chaises deux par deux ; c'est charmant, mais pas convenable. Moi, malgré maman qui jette les hauts cris sous prétexte que je vais me fatiguer, j'en rajoute une troisième ; c'est encore moins convenable...

Tout respire la joie.

Pour me calmer un peu, je vais faire un petit tour dans le bois. Mais le ravissant spectacle qui s'offre à mes yeux m'excite encore plus. Ça sent si bon les tilleuls, les pins et les hêtres... Le ciel est merveilleusement bleu entre les cimes frissonnantes des peupliers ; et puis près de la source qui ruisselle fraîchement avec un bruit de cristal, le soleil se joue dans le feuillage vert et doré, mettant partout des taches de lumières... Non ! Décidément, il n'y a rien à faire – même pas la nature ne me calmera...

[...]

À Paris avec O.

Ce matin, il me semble que j'ai la fièvre ; je rôde partout ; je fais la mouche du coche, j'attrape tout le monde et me fais attraper aussi ! Pour calmer mon impatience je vais au piano et entonne « l'invitation à la valse » avec frénésie. Tout en jouant, mon imagination valse dans le futur. Cette après-midi, ce sera moi qui danserai, dans ma robe féerique. Quelle joie ! Mais il faut sortir, aller faire la promenade rituelle à Bagatelle. Dieu merci ! Il fait beau. Là-bas, sous la verdure, grand-maman est assise, entourée de ses enfants. On dirait Saint Louis rendant la justice sous le chêne royal.

[...]

H.

Dring ! Dring – la cloche du déjeuner ! Déjà ! À dans quatre heures ! Le déjeuner est gai, la salle à manger verte est inondée de lumière et de fleurs. Pas un nuage à l'horizon ! Il faut se dépêcher pour qu'on puisse débarrasser la pièce. Je suis insupportable ! Je ne peux pas tenir en place sur ma chaise. Les autres non plus, du reste.

Papa est ravi d'avance, et un large sourire, son si beau sourire, éclaire sa face. Maman aussi est jolie aujourd'hui ; elle sourit. Les grand-mères prennent part à notre joie...

Corse Malte Sicile
1936

[...]

Bastia, Vendredi

L'auto traverse Messine, passe devant la cathédrale aux statues dorées, et nous voici hors des faubourgs de la ville. La route, une autostrade magnifique, longe la mer bleue, car le soleil brille de nouveau. Par endroits,

189

elle est bordée de géraniums rouges, se détachant sur l'herbe verte.

Dans les villages, des groupes, sur le seuil de leurs maisons, nous accueillent avec de larges sourires et des cris enthousiastes.

La route devient de plus en plus un enchantement, le ciel de plus en plus bleu et la mer aussi. La route est belle ; j'ai de la joie plein le cœur. Vive le soleil !

Nous montons maintenant vers Taormine, dont on aperçoit les maisons étagées en terrasse, à pic sur la mer.

À chaque tournant, l'horizon s'élargit, le panorama devient de plus en plus grandiose. L'air est frais, embaumé par le parfum suave et persistant des orangers. Les oliviers cendrés mêlés à des fleurs multicolores, violettes, rouges, bleues, inconnues, mystérieuses, bordent la route. Nous sommes déjà haut, au-dessus de la ville et, toujours cet extraordinaire parfum sicilien, qui imprègne la nature enchanteresse.

L'auto roule dans le village de Taormine. La rue principale, la seule qu'on puisse appeler de ce nom, bordée de pittoresques maisons aux balcons de fer forgé qui surplombent les larges dalles de la rue, aboutit à une petite place où se mêlent curieusement les autocars modernes et les ravissantes petites charrettes siciliennes, peintes de vives couleurs, aux petits chevaux empanachés.

[...]

Je suis là, sur la scène. Entre deux colonnes de marbre rose, qui se détachent sur le ciel bleu, deux colonnes dignes d'une pièce de Musset, s'étend sur un paysage féerique. Juste au-dessous, un pin parasol vert foncé, qui balance doucement sa tête en cachant tout, sauf l'azur du ciel, me fait douter si je suis dans le ciel ou sur la terre. Je me penche un peu ; entre les deux colonnes, une ligne apparaît, gris bleu, incertaine : l'horizon ; au-dessous, une nappe de saphir moiré, étincelante, ruisselante de la lumière d'or du soleil : la mer. Au-dessus, l'infini bleu clair, doux, transparent : le ciel. À droite, l'Etna, qui dresse ses cimes neigeuses, à moitié caché dans les nuages ouatés. Je tourne lentement : toujours la mer, le ciel ; par endroits, une grande fleur violette me cache le panorama. Je suis en plein dans l'irréel… et puis, ce parfum enivrant…

Je me penche un peu plus, cette fois-ci, le paysage devient un peu plus terrestre. Entre les deux colonnes, j'aperçois maintenant les mille baies riantes qui s'étendent au pied de l'Etna. Au loin, le cap derrière lequel est Syracuse, et puis, plus près, une grande ligne noire qui descend de l'Etna jusqu'à la mer : la coulée de lave de 1928.

En bas, l'eau bleue fronce d'écume blanche de petits récifs bruns.

Lentement, mes yeux reviennent vers le pin parasol et alors, j'ai sous moi un gouffre féerique : des oliviers, des orangers, de la verdure et puis le bleu ; un peu à droite, Taormine avec ses maisons roses et ses ruelles en escaliers, comme à Dubrovnik…

[…]

Capri

Le bateau contourne Capri. Impression extraordinaire, presque inquiétante. À pic sur l'eau bleue, un immense rocher abrupt, déchiqueté, massif, impressionnant, une muraille grise, couverte de végétation verte. Et puis beaucoup plus haut, entre ciel et terre, on devine des creux verdoyants, des arbres, un pays féerique, avec de toutes petites maisons de poupée, blotties dans les coins. Je n'aurais jamais cru que le paradis fût si inaccessible, car lorsque le regard, fatigué de scruter les hauteurs, redescend sur la muraille, on se demande où est la ravissante île de Capri, avec ses charmes antiques…

[…]

Lundi

Nous descendons. Brrr ! Il fait froid. La petite lampe du guide dessine des ombres fantastiques sur les froides murailles ; il nous recommande de ne pas nous perdre. Qui aurait envie de se perdre au milieu de ces mille niches creusées dans le roc ; où il reste encore des ossements. Je respire avec délice une petite rose jaune cueillie à l'oreille de Denys. Je veux les fleurs, le ciel, le parfum du grand air et non ces tombeaux.

Heureusement que, par endroits, une trouée dans la voûte laisse voir un grand cercle d'azur, et alors le soleil, pénétrant à flots, éclaire des restes de fresques peintes sur la muraille.

Dire qu'il a encore trois étages comme cela !

Par bonheur, nous remontons vers la lumière, la belle lumière sicilienne, et nous nous dirigeons vers la Latomie des Capucins, sous un soleil brûlant. Des citrons énormes me narguent là-haut, dans la profondeur verte des feuilles. J'ai tellement soif !

Cette carrière-ci, qui a un passé encore plus lugubre car c'est là que périrent de faim 7 000 Athéniens de l'armée de Nicias, est un paradis.

Un sentier tout en marches, bordées de citronniers, d'orangers, d'arbres à pamplemousses, de daturas d'une verdeur exubérante, nous mène au fond de cette carrière, plus paradisiaque encore. De tous les côtés, la muraille à pic, impressionnante de blancheur, en haut le ciel et en bas, quel Éden !

Des parterres de pensées, de violettes, de fleurs inconnues, multicolores, au milieu d'un gazon splendide ;
d'immenses arbres tout rouges de fleurs, de fleurs qui
semblent faites en papier ; des lauriers-roses, des acacias
parfumés, des eucalyptus cendrés, des amandiers, des
arbres de Judée vieux rose ! Et tout embaume.

Au milieu du jardin, une statue du vieil Archimède,
ombragée des mêmes petites roses jaunes.

Je porte mes yeux du ciel au jardin, de la muraille
formidable au paradis et il me semble que je suis dans
un véritable rêve.

[…]

Mercredi

Je me réveille. Le bateau ne bouge plus. Où sommes-
nous ? Le ciel est tout bleu. La mer, un peu houleuse,
est plus verte. Assez loin de la côte, avec les maisons
blanches sous le soleil chaud. C'est Porto-Empédocle.

Le ronflement de la vedette, qui part déjà, car du
bateau à la côte, il faut bien compter un quart d'heure,
retentit joyeux dans l'air calme et frais.

Tous les passagers sont massés devant la coupée. On
attend le retour de la vedette.

Le temps est délicieusement frais. L'eau profonde se
joue contre le flanc du bateau, avec un clapotis léger. Au
loin, un point blanc grossit… Un cri de joie salue la
vedette qui file à toute allure vers nous…

Quelques minutes plus tard, le canot, rempli, repart,
fend les petites vagues… L'air nous fouette le visage. Le
ciel est très pur. Quelqu'un dans la vedette demande au
patron où nous accostons et celui-ci de répondre :
« J'sais pas. Un nom à coucher dehors. Porto-Plocque…
quelque chose comme cela. » Moi je ne trouve pas que
c'est si laid ce nom. Il sent l'oranger et la mer…

Les autocars s'ébranlent au milieu des cris des enfants et, après avoir gravi une rue montante, ensoleillée, nous voici en route pour Agrigente.

La route est belle… De chaque côté, des champs émaillés de fleurs s'étendent à perte de vue. Les oliviers vert cendré frissonnent et mêlent leurs branches à celles des amandiers ; des géraniums sauvages et d'immenses gueules-de-loup roses, de grandes fleurs jaunes se penchent au-dessus du chemin poudreux. Au-dessus, l'azur profond, doux et lumineux. Parfois, comme dans un rêve, une grande feuille verte vient se découper sur le fond bleu… Tout semble heureux.

Puis, brusquement, le paysage change. Là-bas, sur la colline verdoyante, j'aperçois un temple grec qui semble pétri de lumière dorée et d'ocre rose ; il est là, entre le ciel pur et la terre parfumée.

Non, je ne rêve pas ; c'est le temple de Junon : nous sommes à Agrigente ; là-bas, à droite, sur une hauteur, l'antique cité étage ses toits plats, tout dorés, sous le soleil…

Le ciel d'un bleu intense, les ruines ocrées, l'air frais, les grandes fleurs folles, le parfum de l'oranger mêlé à celui des menthes, le silence transparent de cette radieuse matinée, tout est enivrant…

Le temple de la Concorde, mieux conservé, est un petit Parthénon, tant ses formes sont harmonieuses. Quant au temple de Castor et Pollux, il n'en reste que d'immenses blocs de pierre où courent des lézards argentés, renversés parmi les gueules-de-loup violettes, les marguerites d'or et les hautes-graminées qui se balancent sous la brise…

Et puis, lorsqu'on se tourne, entre deux oliviers, s'étend le splendide panorama d'Agrigente. On dirait une ville féerique, avec quelque chose de mystérieux et d'attirant.

Photographies

Victor Fajnzilber, mutilé de guerre, posant avec ses deux enfants,
Paris, France, 1942.
© C.D.J.C. (Mémorial de la Shoah)

Femme cousant l'étoile jaune sur un veston. Paris, 1942.
© C.D.J.C. (Mémorial de la Shoah)

Vieil homme portant l'étoile jaune, Paris.
Photographie de Roger Schall
© C.D.J.C. (Mémorial de la Shoah).

Le calvaire des enfants[1]

Dans la deuxième moitié du mois d'août, on amena à Drancy quatre mille enfants sans parents. Ces enfants avaient été arrêtés avec leurs parents le 16 juillet. Cinq jours plus tard les parents et les enfants furent envoyés de Paris au camp de Pithiviers. Là on sépara les enfants des parents. On déporta les parents directement de Pithiviers et on envoya les enfants par groupe de mille mêlés à deux cents adultes étrangers à Drancy.

Ces enfants étaient âgés de deux à douze ans. On les déchargea des autobus au milieu de la cour, comme « de petites bestioles ». Les autobus arrivaient avec des agents – sur les plates-formes, les barbelés étaient gardés par un détachement de gendarmes. La majorité des gendarmes ne cachaient pas leur sincère émotion devant le spectacle, ni leur dégoût pour le travail qu'on leur faisait faire.

Les enfants descendaient des autobus et aussitôt les plus grands prenaient par la main les tout petits et ne les lâchaient plus pendant le court voyage vers les chambrées.

1. Source : Georges Wellers, *Un Juif sous Vichy*, éditions Tirésias, Michel Reynaud, 1991 (réédition de *L'Étoile jaune à l'heure de Vichy*, Fayard, 1973), p. 116-118.

Dans l'escalier, les plus âgés prenaient sur leurs bras les plus petits et, essoufflés, les montaient au quatrième étage. Là, ils restaient les uns à côté des autres, comme un petit troupeau apeuré, hésitant, longtemps avant de s'asseoir sur les matelas d'une saleté repoussante. La plupart ne savaient plus où étaient leurs bagages. Le petit nombre de ceux qui avaient eu la présence d'esprit de les prendre à la descente des autobus restaient embarrassés par leur balluchon informe. Pendant ce temps, on entassait d'autres petits balluchons dans la cour et, quand le déchargement fut terminé, les enfants descendirent dans la cour pour chercher leur bien. Ces petits paquets sans nom étaient vraiment difficiles à reconnaître, et pendant longtemps les enfants de quatre, cinq, six ans, se promenèrent parmi eux croyant à chaque instant retrouver le leur. Ils examinaient rapidement le contenu et, tout surpris de trouver un petit pantalon ou une petite robe qui n'était pas à eux, restaient perplexes et découragés. Malgré l'immensité de leur malheur, ils reprenaient courage et recommençaient leurs recherches. Il n'y avait pas de disputes, il n'y avait pas de contestations entre eux. Au contraire, ils s'aidaient les uns les autres de mille façons différentes, mais toujours bouleversantes pour le spectateur. Après de nombreuses tentatives infructueuses, ils finissaient par abandonner la partie et restaient dans la cour sans savoir quoi faire. Ceux qui voulaient remonter dans les chambres, souvent ne savaient plus à laquelle ils appartenaient. Alors, très poliment, d'une voix douce et suppliante, ils disaient : « Monsieur, je ne sais pas où est restée ma petite sœur, peut-être a-t-elle peur de rester toute seule. » Alors on prenait par la main les plus grands, on prenait sur les bras les petits et on les promenait à travers les chambrées des trois escaliers différents jusqu'à ce qu'on ait retrouvé la petite sœur ou le petit frère. La réunion était alors d'une tendresse dont seuls les enfants dans le malheur ont le secret.

Les enfants se trouvaient par cent dans les chambrées. On leur mettait des seaux hygiéniques sur le palier, puisque nombre d'entre eux ne pouvaient descendre le long et incommode escalier pour aller aux cabinets. Les petits, incapables d'aller tout seuls, attendaient avec désespoir l'aide d'une femme volontaire ou d'un autre enfant. C'était l'époque de la soupe aux choux à Drancy. Cette soupe n'était pas mauvaise, mais nullement adaptée aux estomacs enfantins. Très rapidement, tous les enfants souffrirent d'une terrible diarrhée. Ils salissaient leurs vêtements, ils salissaient les matelas sur lesquels ils restaient jour et nuit. Faute de savon, on rinçait le linge sale à l'eau froide et l'enfant, presque nu, attendait que son linge fût séché. Quelques heures après un nouvel accident, tout était à recommencer.

Les tout-petits ne connaissaient souvent pas leur nom, alors on interrogeait les camarades, qui donnaient quelques renseignements. Les noms et prénoms, ainsi établis, étaient inscrits sur un petit médaillon de bois, qu'on accrochait au cou de l'enfant. Parfois, quelques heures après on voyait un petit garçon avec un médaillon portant le prénom de Jacqueline ou de Monique : les enfants jouaient avec ces médaillons et les échangeaient entre eux.

Chaque nuit, de l'autre côté du camp, on entendait sans interruption les pleurs des enfants désespérés et, de temps en temps, les appels et les cris aigus des enfants qui ne se possédaient plus.

Ces enfants ne restèrent pas longtemps à Drancy. Deux ou trois jours après leur arrivée, la moitié d'entre eux quittaient le camp, en déportation, mélangés à cinq cents adultes étrangers. Deux jours plus tard, c'était le tour de la seconde moitié.

Deux lettres au Directeur de la Police

2ᵉ BUREAU
n° 2288   20.07.1942

Le Directeur de la Police municipale
à Monsieur le Préfet de police[1]

Étant donné qu'un certain nombre de Juifs et de Juives ont quitté leur domicile quelques jours avant les opérations des 16 et 17 juillet pour éviter d'être arrêtés et se cachent dans la région parisienne, je pense qu'il serait possible de les retrouver par le moyen suivant :

À partir du 22 courant, les mairies doivent procéder au renouvellement des feuilles de rationnement pour le mois d'août 1942 : les Juifs seront dans l'obligation de se présenter eux-mêmes ou de se faire représenter dans les centres « ad hoc ».

Après accord avec les services compétents de la préfecture de la Seine, il suffirait de remettre à chaque centre une liste des Juifs recherchés, de placer en surveillance un service suffisant et de procéder à l'arrestation de ceux qui se présenteraient.

D'ailleurs on pourrait décider d'office que tout Juif figurant sur cet état ne recevrait plus de feuille de rationnement.

Cette question doit être solutionnée rapidement, étant donné que le renouvellement des feuilles d'alimentation doit avoir lieu, je crois le 22 courant.

Le Directeur de la Police
Destinataire : M. le Préfet de Police
Copies : M. Tulard (Affaires juives),
État-Major,
Archives P.M.

---

1. Sources : Serge Klarsfeld, *Le Calendrier de la persécution des Juifs en France 1940-1944*, p. 330, éditions de la FFDJF, 1993 ; réédition Fayard sous le titre *Vichy Auschwitz*, tome II.

Le 02.09.1942

Monsieur le Directeur[1],

Je me permets de soumettre à votre bienveillante attention le cas suivant :

Je suis l'aînée d'une famille de cinq enfants, dont quatre sont français et demeurée la seule d'origine russe (j'avais trois ans quand mes parents ont fui la Révolution).

Je ne puis accuser mon père d'une négligence regrettable, celle de ne pas m'avoir fait naturaliser, puisque disparu sur la route d'Étampes à la date du 15 juin 1940. Nous n'avons, malheureusement, jamais eu de ses nouvelles, malgré nos recherches.

Je suis devenue chef de famille à la suite de cette disparition et ai essayé de le remplacer auprès de ma mère terriblement affectée par cette épreuve et de mes jeunes sœurs et frère. L'une d'elles est maintenant mariée. Son mari est français et aryen. Étant maintenant fiancée depuis deux ans, je devais me marier fin juillet et, de ce fait, devenir française.

Nous avons tous reçu une éducation essentiellement française, morale et spirituelle, et tout mon entourage a bien voulu me reconnaître et m'accepter. N'ayant pas connu la Russie, mon pays d'origine, j'ai voué à la France, patrie de mon cœur et de mon esprit, toute la reconnaissance et toute la ferveur et l'attachement que l'on peut porter à ceux qui vous ont recueillie et aimée.

En dehors de l'arrachement à mes affections et le souci de l'éducation inachevée de mes petits dont je suis responsable, la déportation serait pour moi, non pas un rapatriement mais un douloureux exil.

Espérant un avis favorable pour ma libération afin de me permettre de me marier et assurer l'existence des miens.

Je vous prie d'agréer, Monsieur le Directeur, l'expression de ma considération la plus distinguée.

Nadja-Alice Markus 22, rue Francoeur.
Internée à Drancy, Escalier 13, chambre 4, depuis le 16 juillet 1942.

NDLR : Nadja-Alice Markus a été déportée par le convoi n° 39 du 30.09.42.

1. Sources : Serge Klarsfeld, *Le Calendrier de la persécution des Juifs en France 1940-1944*, p. 367, éditions de la FFDJF, 1993 ; réédition Fayard sous le titre *Vichy Auschwitz*, tome II.

Cartes du Paris
d'Hélène Berr

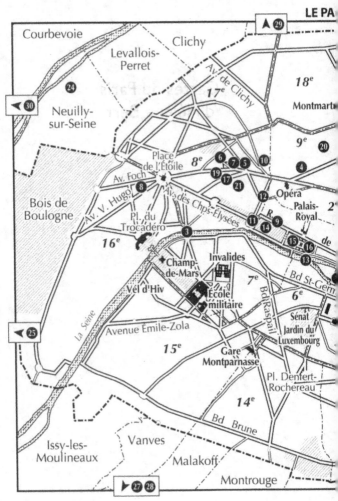

© Éditions Tallandier

1- Préfecture de police
2- Hôpital Rothschild (11, rue Santerre)
3- Pont de l'Alma
4- Synagogue (44, rue de la Victoire)
5- Église Saint-Augustin
6- Siège social de l'UGIF (19, rue de Téhéran)
7- Bureaux de l'UGIF (29, rue de la Bienfaisance)
8- Domicile de Paul Valéry (40, rue de Villejust)
9- Librairie Galignani (224, rue de Rivoli)
10- Gare Saint-Lazare (gare pour Aubergenville)
11- Place de la Concorde
12- Église de la Madeleine
13- Pont des Arts
14- Jardin des Tuileries
15- Carrousel
16- Louvre
17- Salle Gaveau (45, rue de La Boétie)
18- Caserne des Tourelles (boulevard Mortier)
19- Établissements Kühlmann (11, rue de la Baume)
20- Rue de La Tour d'Auvergne
21- Gestapo (11, rue des Saussaies)
22- Orphelinat Rothschild (9, rue Lamblardie)
23- Faubourg Saint-Denis

Extérieur de Paris

24- Foyer de l'Ugif (Neuilly, rue Édouard Nortier)
25- Saint-Cloud (domicile de Jean Morawiecki)
26- Drancy
27- Clamart
28- Le Plessis-Robinson
29- Enghien
30- Aubergenville
31- Beaune-la-Rolande et Pithiviers

La Seine
Parcs parisiens
Limite de Paris

LE PARIS D'H

Bois de Boulogne

8ᵉ

Av. Foch

Av. des Chps-Élysées

Place de l'Étoile

Rue de Longchamp

Av. V. Hugo

Pl. du Trocadéro

15

16ᵉ

Trocadéro

R. de Passy

Rue Raynouard

16

Av. de La Bourdonnais

13

12

Champ-de-Mars

Av. Rue Saint-

Bosquet

Vél d'Hiv

Rue de La Motte-Picquet

La Seine

14

Av. de La Motte-Picquet

École militai

Avenue Émile-Zola

15ᵉ

1- Librairie Gibert
   (30, bd Saint-Michel)

2- Librairie Klincksieck
   (6, rue de la Sorbonne)

3- Foyer de jeunes filles de
   L'UGIF (9, rue Vauquelin)

4- Centre de l'UGIF
   (60, rue Claude-Bernard)

5- Faculté de droit
   (12, place du Panthéon)

6- École normale supérieure
   (45, rue d'Ulm)

7- Rue de
   l'École-de-Médecine

8- Maison des étudiants
   (15, rue Soufflot)

© Éditions Tallandier

9- Librairie Budé
(95, boulevard Raspail)

10- École de pharmacie
(4 avenue. de l'Observatoire)

11- Hôpital des Enfants-Malades
(rue de Sèvres)

12- Domicile d'Hélène Berr
(avenue Élysée-Reclus)

13- Bibliothèque américaine
(10, rue du Général Camou)

14- À la Petite Marquise
(50, avenue de La Motte-Picquet)

15- Domicile de la famille Lyon-Caen
(rue de Longchamp)

16- Domicile de Bonne Maman
(rue Raynouard)

La Seine

Parcs parisiens

Limite
des arrondissements

Pl. de la Concorde

Palais-Royal

Carrousel

Préfecture de police

Notre-Dame

Bd St-Germain

Métro Sèvres-Babylone

Jardin du Luxembourg

Sorbonne

Panthéon

Lycée Henri IV

Rivoli

Rue de l'Odéon

Bd St-Germain

R. des Écoles

R. d'Ulm

R. Gay-Lussac

R. Cl.-Bernard

Histoire du manuscrit

Hélène Berr écrit son journal au jour le jour, sur des feuilles de papier. Elle écrit, comme elle le dit elle-même, pour témoigner de la période mais surtout pour que son fiancé Jean Morawiecki, qui a quitté Paris, sache ce qu'elle pense et ce qu'elle vit. À partir de l'été 1942, elle sait qu'elle peut à tout moment être arrêtée.

Pour être certaine que son journal parvienne un jour à Jean, elle en confie les feuillets à Andrée Bardiau, la cuisinière de la famille Berr. C'est elle qui garde le journal après l'arrestation d'Hélène et de ses parents en mars 1944.

À la fin de la guerre, Andrée Bardiau donne le journal au frère d'Hélène. Il le fait dactylographier. Jean Morawiecki revient en France après avoir combattu aux côtés des Forces françaises libres. Devenu diplomate, il quitte l'hexagone et perd presque complètement le contact avec la famille d'Hélène. De leur côté, les frère et sœurs d'Hélène Berr, anéantis par la perte de leurs parents et de leur sœur, gardent le journal comme un secret, sans penser à le faire connaître.

C'est presque cinquante ans plus tard que Mariette Job, nièce d'Hélène Berr, décide de reprendre contact avec Jean Morawiecki. Morawiecki a été diplomate, elle retrouve sa trace grâce au ministère des Affaires étrangères. Très vite une amitié naît entre l'ancien fiancé d'Hélène et sa nièce.

En 1994, Jean Morawiecki confie à Mariette Job le manuscrit du *Journal*.

En 2002, celle-ci le dépose au Mémorial de la Shoah, à Paris, où il est exposé. Ce n'est pour l'instant qu'un témoignage familial mais déjà il attire l'attention des visiteurs, en particulier des plus jeunes qui sont fascinés par l'écriture mais aussi par les mots et le récit d'Hélène Berr.

Cinq ans plus tard, les éditions Tallandier proposent à Mariette Job de publier le journal. Il est édité en janvier 2008 et, depuis, a été publié dans trente pays.

Note du Mémorial de la Shoah

Depuis sa création au printemps de l'année 1943, le Centre de Documentation Juive Contemporaine s'est donné pour mission de collecter les documents qui pourraient permettre d'écrire l'histoire de la persécution des Juifs pendant la Shoah.

Le CDJC a tout naturellement trouvé sa place au sein du Mémorial de la Shoah dont les nouveaux locaux ont ouvert rénovés et agrandis, le 27 janvier 2005.

Les collections du CDJC sont riches de plusieurs millions de pages, mais l'une de ses spécificités tient sans doute à l'importance des fonds d'archives privées qu'il détient.

Comme Mariette Job qui est venue un jour de 2002 nous confier le journal d'Hélène Berr, un document exceptionnel et le trésor douloureux de toute une famille, chaque année des dizaines de personnes déposent aux archives du CDJC lettres, photos, objets et documents de toute nature. Ces pièces sont parmi leurs biens les plus précieux, souvent l'unique trace d'un père, d'une mère, d'un être cher, assassinés pendant la Shoah.

En conservant ces documents, en les portant à la connaissance du plus grand nombre au travers d'expositions historiques, de films, de documentaires, de travaux universitaires, ou, comme ici, de publications, nous préservons à jamais leur mémoire, leur histoire, leur visage.

Merci à Mariette Job et à sa famille d'avoir déposé l'ensemble de leurs archives et de nous avoir accordé leur confiance.

Si vous aussi vous disposez de documents que vous souhaitez nous confier, contactez-nous :

Mémorial de la Shoah, CDJC

17, rue Geoffroy-l'Asnier

75004 Paris

Tél : 01 42 77 44 72

Mél : archives@memorialdelashoah.org

Note du Mémorial de la Shoah

POINTS

Hélène
Berr

Journal

« Une voix et une présence
qui nous accompagneront
toute notre vie. »

Patrick Modiano

Une présentation et une fiche pédagogique
consacrées à cette édition abrégée du *Journal*
d'Hélène Berr, sont téléchargeables
au format pdf sur le site :
www.points-enseignants.com

Retrouvez également sur le site les séquences pédagogiques
consacrées aux titres suivants du catalogue Points :

Azouz Begag, *Le Gone du Chaâba*
Italo Calvino, *Le Baron perché*
Maxence Fermine, *Neige*
Agota Kristof, *Le Grand Cahier*
Eduardo Mendoza, *Sans nouvelles de Gurb*
Luis Sepúlveda, *Le Vieux qui lisait des romans d'amour*
Antonio Skármeta, *Une ardente patience*

Collection Points

COMPOSITION : NORD COMPO MULTIMÉDIA
7 RUE DE FIVES - 59650 VILLENEUVE-D'ASCQ

Cet ouvrage a été imprimé en France par
CPI Bussière
à Saint-Amand-Montrond (Cher)
en avril 2015.
N° d'édition : 99787-3. - N° d'impression : 2015442.
Dépôt légal : mai 2009.

CPI